JOYCE MEYER

A Raiz de REJEIÇÃO

ESCAPANDO DA ESCRAVIDÃO DA REJEIÇÃO E EXPERIMENTANDO
A LIBERDADE DA ACEITAÇÃO DE DEUS

1ª Edição

Edição publicada mediante acordo com FaithWords, New York, New York. Todos os direitos reservados.

Diretor
Lester Bello

Autora
Joyce Meyer

Título Original
The root of rejection

Tradução
Celia Regina Chazanas Clavello

Revisão
Tucha

Editoração eletrônica
Eduardo Costa de Queiroz

Design capa (Adaptação)
Fernando Duarte
Ronald Machado

Impressão e Acabamento
Promove Artes Gráficas

Rua Major Delfino de Paula, 1212
São Francisco, CEP 31.255-170
Belo Horizonte/MG - Brasil
contato@belloeditora.com
www.belloeditora.com

© 1994 Joyce Meyer
Copyright desta edição:
FaithWords

Publicado pela Bello Com. e
Repres. Ltda. com devida autorização
de FaithWords, New York, New York.

Todos os direitos autorais
desta obra estão reservados.

1ª Edição - Maio 2006
Reimpressão: julho 2022

Dados Internacionais de Catalogação na Publicação (CIP)
(Câmara Brasileira do Livro, SP, Brasil)

M612
Meyer, Joyce
A Raiz de rejeição : escapando da escravidão da rejeição e experimentando a liberdade da Aceitação de Deus / Joyce Meyer; tradução Célia Regina Chazans Clavello. Belo Horizonte: Bello Publicações, 2015.

128 p.
Título original: The root of rejection
ISBN: 978.85.61721.24-4

1. Deus - Amor 2. Auto-aceitação - Aspectos religiosos - Cristianismo 3. Rejeição (Psicologia) - Aspectos religiosos - Cristianismo 4. Vida cristã
I. Título.

06-3928   CDD: 248.86

Índices para catálogo sistemático:
1. Rejeição : Pessoas rejeitadas : Guias de vida cristã 248.86

Sumário

Prefácio... 5

1. Identificando a Raiz de Rejeição.............................. 7

2. Rejeição: Causas... e Conseqüências......................... 15

3. A Rejeição e a sua Percepção.................................. 31

4. Muros de Proteção.. 45

5. Padrões de Proteção da Rejeição............................. 57

6. Rejeição e Perfeição... 71

7. Perfeitos... pela Fé!.. 81

8. O Medo do Homem... 95

9. Manipulação e Controle..109

Conclusão...121

Prefácio

A rejeição começa como uma semente que é plantada em nossa vida por meio de vários acontecimentos. Deus disse que seu povo deveria ser como *árvores de justiça* (Isaías 61. 3). Árvores têm raízes, e as raízes determinam os frutos! Frutos podres vêm de raízes podres, e frutos bons vêm de raízes boas. O fruto em nossa vida tem origem onde estivermos enraizados.

Ninguém atravessa a vida escapando totalmente da rejeição; mas, se você está enraizado no abuso, na vergonha, na culpa, na rejeição ou em uma auto-imagem pobre, como estive por muitos anos, então os problemas começam a se desenvolver. Aqui está a boa nova: você pode ser livre do poder da rejeição!

Todas as áreas de sua vida que estão fora de ordem podem ser reestruturadas por intermédio de Jesus e da obra que Ele realizou na cruz. Isso aconteceu comigo, e Deus pode fazê-lo por você. Comece a crer nisso! Não aceite a escravidão, mas determine-se a ser livre! Oro para que este livro o coloque num caminho novo em direção a essa liberdade.

1
Identificando a Raiz de Rejeição

Ele era desprezado, rejeitado e abandonado pelos homens; um homem de sofrimentos e dores e que sabe o que é padecer e adoecer; e, como um de quem os homens escondem o rosto, era desprezado, e dele não fizemos caso, nem tínhamos qualquer estima por Ele.

Isaías 53.3

Muitas pessoas no mundo de hoje estão tentando provar seu valor por subir a escada do sucesso. Elas parecem pensar que se apenas conseguirem uma promoção no trabalho, uma casa maior, o carro do ano, se puderem participar dos círculos sociais corretos, então, finalmente, terão valor e ganharão aceitação. Como é triste ver pessoas envolvidas em perseguir tais práticas inúteis sem nunca perceberem que a única coisa que realmente precisam é do amor de Jesus Cristo.

O próprio Jesus não desfrutou aceitação ou aprovação dos homens quando esteve na Terra. Ele foi desprezado e rejeitado pelos homens! Jesus enfrentou todas essas coisas e muito mais para que pudesse nos libertar da rejeição. Em minha busca pessoal por libertação da raiz de rejeição, vim perceber que toda rejeição que Jesus enfrentou durante Sua vida na Terra e em Sua agonizante morte na cruz foi em nosso benefício. Jesus não tinha problemas. Ele era um homem sem pecado. Ele não tinha de enfrentar aquela rejeição por Sua própria causa.

Nós é que tínhamos problemas! Assim, Ele, voluntariamente, desejou vir e tomar nossos problemas, nossas feridas, nossas dores e até nossas rejeições, e levá-las sobre Si mesmo.

Mas a rejeição não é apenas algo que o diabo usa para atacar os cristãos. Milhões de pessoas de todas as partes do mundo sofrem a dor da rejeição. E um segmento surpreendentemente grande da nossa sociedade tem experimentado, vez ou outra, esse sofrimento.

Há muitas causas de rejeição: abuso (incluindo abuso físico, verbal, sexual e emocional), conflitos no lar, adoção, abandono, infidelidade no casamento, divórcio, rejeição de colegas, etc. E isso traz muitas conseqüências. Neste livro, exploraremos tanto as causas quanto as conseqüências da rejeição, à medida que examinamos o que a Bíblia diz sobre vencer a rejeição por meio da obra consumada de Cristo na cruz. Creio que muitos serão livres.

Um Curioso Denominador Comum

O famoso médico e conselheiro cristão, Paul Tournier, em seu livro *Creative* Suffering,[1] fez algumas observações interessantes sobre a privação emocional. Paul relata o fato impressionante de que uma parcela expressiva dos maiores líderes do mundo tinha algo em comum: todos compartilharam a experiência de terem sido órfãos. E, para minha surpresa, alguns desses grandes empreendedores foram vítimas de abuso e outros, severamente maltratados. "Isso é confirmado em vários estudos sobre grandes realizadores", escreve Tournier. "Daqueles que se tornaram notáveis empreendedores, 75% sofreram

---

[1] Londres: SCM Press, 1992.

Identificando a Raiz de Rejeição

sérias carências emocionais ou dificuldades na infância. Pelo fato de se sentirem tão indignos interiormente, esforçaram-se até a morte tentando obter algum valor. E, como resultado disso, muitos deles se tornaram bem-sucedidos".

Um livro chamado *The Hidden Price of Greatness*[2] relata as histórias de muitos grandes homens e mulheres de Deus que foram usados por Ele de forma poderosa no passado. Podemos aprender algumas verdades grandiosas ao observar a vida desses indivíduos. O livro explica como uma infância sofrida freqüentemente estabelece uma ponte para uma vida de conflitos. Por exemplo, o pai de David Brained morreu quando dele tinha apenas 8 anos. Sua mãe morreu quando ele tinha 14. E, muito embora ele herdasse um patrimônio considerável, perdeu o amor e a afeição de seus pais, que são tão essenciais para a felicidade e a segurança de uma criança.

Brainerd, como muitas outras crianças órfãs e negligenciadas, carregava um senso de culpa anormal, quase como se fosse o responsável pela morte de seus pais. O autor relata que o Espírito Santo, repetidamente, tentou tornar real para David Brainerd que sua suficiência estava em Cristo. Aparentemente, ele obtinha alguma revelação e tentava praticá-la por um tempo, mas voltava à mentalidade de "obras e sofrimento" enquanto tentava atingir a perfeição interiormente.

Deus fez o mesmo tipo de trabalho em mim várias vezes, e a cada vez minha reação era semelhante à atitude de David Brainerd. Durante meus períodos de sofrimento, o Espírito Santo me revelava a graça e a misericórdia

---

[2] RAY, Beeson; HUNSICKER, Ranelda. *The hidden price of greatness.* Wheaton: Tyndale Press, 1991.

A Raiz de Rejeição

de Deus e como minha perfeição somente poderia ser encontrada em Cristo. Eu entrava no descanso de Deus e passava certo tempo desfrutando essa vitória. Então, o diabo me atacava novamente, e Deus me dava nova revelação, ainda mais profunda. Uma vez que o diabo sabe que somos vulneráveis em certa área, ele nos atacará ali, vez após vez, para ver se há alguma fraqueza remanescente da qual ele pode se aproveitar.

Você sabe o que aconteceu a David Brainerd? O livro diz que, "por volta de 1700, seu maior temor veio sobre si". Como missionário, embora ele tivesse um ministério poderoso, ficou inválido, bastante doente para poder pregar, ensinar ou orar e morreu aos 29 anos. O jovem tinha se esgotado tentando servir a Deus por meio do perfeccionismo. Ele, literalmente, desgastou-se a ponto de tornar-se fisicamente doente e morrer simplesmente porque se sentia muito inseguro por causa da rejeição.

Quantos "David Brainerd" existem no mundo de hoje que estão se desgastando ao tentarem ser dignos de algo, ao escalar a escada do sucesso? Temos disponível a única coisa de que verdadeiramente precisamos: o amor de Jesus Cristo. De fato, Sua opinião a nosso respeito é a única que realmente conta!

Quero que todos gostem de mim, mas descobri, muito tempo atrás, que tentar fazer as pessoas gostarem de mim é uma tarefa árdua! E sabe o que é mais interessante? Quando parei de me importar com o que os outros pensavam a meu respeito, pude ver que não havia tantas pessoas que realmente pensavam mal de mim. Percebi que o diabo colocava pessoas que não gostavam de mim por perto na mesma proporção em que eu me importava com isso! Quando desisti de me preocupar, tais pessoas simplesmente desapareceram.

Identificando a Raiz de Rejeição

A Rejeição e a Cruz

Jesus, um homem que compreendia o que era sofrer e sentir dores, foi rejeitado e desprezado. Quando você experimenta a dor da rejeição, pode identificar-se com Jesus e obter força e cura por intermédio dEle.

A rejeição é uma das armas favoritas que Satanás usa contra as pessoas. Ele não espera muito para começar a plantar "sementes de rejeição". Ele pode ter trabalhado em sua vida por anos. Talvez Satanás tenha até plantado essas sementes enquanto estava no ventre de sua mãe, sementes que o levaram a sentir-se sem valor e indesejado.

O diabo é um mentiroso! Este livro o ajudará a renovar sua mente de acordo com a Palavra de Deus. Deus diz que você é precioso. Ele o escolheu e derrotou o diabo por você. Acredite no que Deus diz a seu respeito, e não naquilo que as pessoas ou o diabo dizem.

Embora você possa ter sido rejeitado por outros e mesmo que ainda hoje as pessoas possam rejeitá-lo ocasionalmente, pode ser liberto do poder da rejeição! A rejeição pode estar aí, mas não há poder que possa afetá-lo, se você crer apenas no que Deus diz e em nada mais.

A rejeição não tem poder sobre minha vida agora porque sei quem sou em Cristo. Conheço o meu valor. Sei que meu valor não está naquilo que alguém PENSA a meu respeito, mas naquilo que SEI que sou! Eu sou aceita *no Amado* (Efésios 1. 6). *Se Deus é por mim, quem será contra mim?* (Romanos 8. 31).

Uma semente, uma raiz, uma árvore...

A rejeição começa como uma semente plantada em nossa vida por meio de vários fatos que nos acontecem. O diabo não quer apenas plantar uma semente de rejeição,

A Raiz de Rejeição

mas quer plantá-la bem profundamente para que ela desenvolva uma raiz; uma raiz que crescerá muito e gerará outras pequenas raízes ligadas a ela. Finalmente, essas raízes se tornarão uma árvore.

Deus disse que seu povo deveria se tornar como *árvores de justiça* (Isaías 61.3). Aquilo em que você estiver enraizado determinará o fruto em sua vida. Se você estiver enraizado na rejeição, no abuso, na vergonha, na culpa ou em uma auto-imagem pobre, se estiver enraizado no pensamento "Há-algo-errado-comigo"!, então todos esses problemas começarão a se desenvolver em sua vida. Você começa a pensar: "Bem, o meu eu REAL não é aceitável, assim preciso produzir um FALSO eu"!

Você pode realmente rejeitar-se porque alguém mais o rejeitou, e então se torna cheio de confusão e tormento interior. A sua "árvore" começa a carregar frutos ruins da depressão, do negativismo, da falta de autoconfiança, da ira, da hostilidade, do espírito controlador, da crítica, do melindre, do ódio e da autopiedade. Raízes determinam frutos! Frutos podres vêm de raízes podres... e frutos bons vêm de raízes boas.

Se você está enraizado na aceitação e no amor, então desenvolverá boas coisas em sua vida; coisas como domínio próprio, mansidão, fidelidade, bondade, benignidade, paciência, paz, alegria e amor.

Vim de um passado de abusos. Experimentei muita rejeição não apenas de uma fonte, mas de várias. Então, fui salva e comecei a viver a vida cristã indo à igreja e tentando caminhar com Deus. Eu ouvia boas mensagens sobre como me comportar como cristã e precisava de cada uma delas porque eu tinha muitos problemas.

Como eu era determinada, voltava para casa e tentava colocar tudo isso em prática. Eu podia até obter certo nível de controle, pelo menos por um tempo, sobre

Identificando a Raiz de Rejeição

alguns dos problemas que as mensagens abordavam, mas, infalivelmente, enquanto obtinha controle em algumas áreas, o fruto ruim da rejeição simplesmente brotava em outro lugar!

Por anos e anos lutei como crente, tentando ser boa... fazer as coisas direito... tornar meu comportamento aceitável. Em particular, tive um tempo muito difícil tentando me relacionar com os outros. Se você tem uma raiz de rejeição em sua vida, essa rejeição certamente brotará em seus relacionamentos. Ela aparecerá de muitas formas, mas certamente aparecerá.

Durante esse período, eu amava a Deus, era nascida de novo e cria que iria para o céu quando morresse; mas nunca desfrutava uma vitória duradoura em minha vida. Comecei a descobrir que precisava seriamente de uma revelação do quanto Deus me amava. Somente quando comecei a perceber quanto Deus me amava, comecei a me sentir bem. Descobri que leva tempo para recuperar-se da rejeição.

A Bíblia ensina que somos desarraigados e, então, enxertados. Não somente somos enxertados, mas somos **arraigados** e **firmados** no amor de Deus. Temos de ser arraigados e firmados em Jesus Cristo. Em cada momento que você ouvir a Palavra de Deus, se prestar atenção e fizer o que Deus lhe diz, obterá um pouco mais de cura. À medida que continuar a ouvir a Palavra, será continuamente curado, pouco a pouco.

Torne-se um bom estudante da Palavra e deixe Deus fazê-lo conhecer a plenitude da herança que Jesus morreu para lhe dar! O que está contido nessa herança? **Justiça** (mesmo quando você não faz tudo certo), **paz** que excede todo o entendimento (mesmo quando suas circunstâncias não estão em paz) e **alegria** indizível (mesmo quando não há motivos para se alegrar). Essa é sua herança em Jesus Cristo. Você pode desfrutar a vida!

Creio que Deus me chamou para ajudar seu povo a caminhar em vitória! Você pode estar em sua jornada para o céu, *mas está desfrutando a viagem?* Se não, algo está desesperadamente errado, e Deus é a sua resposta!

2
Rejeição: Causas... e Conseqüências

Quase todos experimentam algum tipo de rejeição de uma forma ou outra, e ninguém precisa ter vindo de um abuso no passado para ter experimentado rejeição.

Recentemente, eu estava na manicure, e uma mulher começou a me contar sobre o incidente que acontecera com seu filho de 4 anos. Ela disse: "Meu filho estava bastante empolgado em participar de um time de futebol! Ele treinava e treinava! Nós fomos ao jogo para vê-lo, e foi simplesmente horrível, Joyce"!

Eu lhe perguntei: "O que aconteceu"? Ela respondeu: "Bem, tudo estava indo bem até metade do jogo. Então, um garoto maior aproximou-se e deu um soco no estômago do meu filho! Ele curvou-se e começou a chorar. O garoto, então, disse algo a meu filho, que apenas correu pela lateral do campo chorando incontrolavelmente. Ele soluçava muito! Finalmente, fui até ele e consegui que se acalmasse um pouco. Eu lhe perguntei: 'Filho, o que aconteceu?' Ele respondeu: 'Aquele menino socou meu estômago e me disse: 'Você não é bom. Você nunca aprenderá a jogar futebol. Você não faz nada certo! Saia deste campo e não volte mais aqui para tentar jogar conosco'"!

Ela continuou: "Eu olhei para ele e, simplesmente, comecei a chorar. Meu marido disse: 'Que maravilha! Agora são dois chorando'! Ela contou-me que, como

A Raiz de Rejeição

resultado do episódio, quando eles voltavam para casa, seu filho disse: "Nunca mais voltarei aqui"!

Esse é um exemplo perfeito daquilo que o diabo quer fazer às pessoas. Ele quer que elas debochem de nós. Ele quer conseguir alguém que nos rejeite. No mundo somos freqüentemente rejeitados, a menos que façamos tudo perfeitamente. Como nenhum de nós tem a habilidade de ser perfeito, somos feridos e nos sentimos rejeitados! Mas, graças a Deus, temos a resposta por meio de Deus e de sua Palavra! Jesus o ama, e Ele nunca o rejeitará (João 3.18).

Cura Exige Tempo... e Compromisso

Eu e Dave, meu marido, oramos freqüentemente a respeito do compromisso de começar algo e vê-lo cumprido até o fim. O diabo usa essa questão para atacar e desencorajar as pessoas.

Quando eu estava conduzindo encontros mensais regulares em St. Louis, uma senhora me disse: "Eu já tive muitos problemas em minha vida e parecia que nunca conseguiria melhorar. Eu vinha aos seus encontros não regularmente, mas um aqui, outro ali... Isto é, se tudo corresse bem com as crianças, se eu conseguisse alguém para vir comigo... Você sabe, todas as desculpas que o diabo nos dá". Aparentemente, ela enfrentou um tempo difícil até decidir como obter socorro. Então, uma vez que tomou a decisão, comprometeu-se com aquele plano de ação.

Ela disse: "Finalmente, comecei a me sentir tão miserável que pensei nem mesmo suportar! Enquanto buscava a Deus, Ele me mostrou que realmente eu precisava assumir um compromisso. Assim, chamei minha mãe para comprometer-se a vir comigo às reuniões

Rejeição: Causas... e Conseqüências

e começamos a vir regularmente. Incentivávamos uma à outra para estarmos aqui. E nem sei como lhe dizer quanto tenho mudado por assumir um compromisso sério de estar onde preciso estar com constância"!

Tudo aquilo que Deus dirigi-lo a fazer você deve assumir um compromisso de obedecer. Onde quer que Deus lhe diga para se comprometer, é onde você deve estar comprometido. Compromisso é uma das chaves para a vitória.

Problemas como rejeição estão profundamente enraizados, e receber ajuda não é tão simples quanto ir até o altar, fazer uma oração e, então, sair e esperar que tudo esteja diferente da noite para o dia. Você tem de cooperar com Deus para obter sua cura.

Não, você não tem de viver sob o tormento causado pela rejeição. Mas, para receber cura, precisa assumir um compromisso com Deus e com sua Palavra. Para fazer isso, você deve desejar investir seu tempo, gastar dinheiro com materiais como fitas, livros e uma boa Bíblia, e dar 100% de si mesmo para tornar-se um bom estudante da Palavra. Se você fizer isso, garanto que gradualmente será transformado!

Segurança *versus* Insegurança

O que é insegurança? Certa vez, li um artigo que descrevia insegurança como "um distúrbio psicológico que está assumindo proporções epidêmicas". Muitas pessoas no mundo de hoje são inseguras. De fato, são mais inseguras do que seguras. Assim, o que acontece quando todas essas pessoas inseguras tentam manter relacionamentos umas com as outras? Isso cria uma grande confusão. Realmente é muito triste!

A Raiz de Rejeição

Contudo, há alguns grandes versículos da Bíblia que nos prometem que podemos estar seguros por intermédio de Jesus Cristo. Deus quer que você seja seguro! Atente para aquilo que Paulo orou pela igreja: *Que Cristo possa através da fé de vocês [realmente] habitar (estabelecer-se, permanecer, fazer Sua morada permanente) em seus corações! Que possam estar profundamente arraigados e fundamentados seguramente em amor* (Efésios 3.17).

Sua segurança Não depende dos seus recursos financeiros, do seu trabalho, da sua aparência, de como os outros reagem a você ou como o tratam. Não baseie sua segurança em sua educação, na grife de suas roupas, no carro que dirige ou no tipo de casa em que você mora. Não baseie sua segurança em quem é seu cônjuge, ou se tem ou não filhos. Não coloque sua segurança em nada além de Jesus Cristo e nEle somente, pois Ele é a Rocha sobre a qual você deve se firmar. Tudo o mais é areia movediça.

Comece a cooperar com o Senhor e a edificar sua segurança nEle. Aprenda como desarraigar-se de todas as coisas erradas e ser enxertado nas coisas certas.

Houve um tempo em minha vida em que eu era insegura. Eu não estava enraizada e firmada no amor de Cristo, embora fosse uma cristã. De fato, eu era uma pessoa insegura mesmo ensinando a Palavra de Deus! Minha segurança a respeito de minha pregação era baseada em quantos cumprimentos eu recebia no final da reunião. Se eu não recebesse cumprimentos suficientes, ia para casa e me atormentava metade da noite... algumas vezes, por vários dias.

Obviamente, eu não estava enraizada e firmada em Cristo. Embora eu pregasse e ensinasse, estava firmada no retorno que as pessoas me davam. Conseqüentemente, o diabo constantemente tentava me enganar e interferia em minha vida para me atormentar. Tudo o que ele tinha de fazer era conseguir que eu não fosse suficientemente cumprimentada no final de uma reunião. Então, eu ficava abalada porque dependia dos cumprimentos das pessoas, e não de Deus.

De quem ou *do que* você depende? O que faz você sentir-se "confiante"? Seu senso pessoal de bem-estar depende daquilo que as pessoas fazem ou dizem? Quando você se sente um pouco inseguro, começa a buscar por alguém que se aproxime e o "estabilize" para sentir-se seguro novamente? Devemos buscar a estabilidade em Cristo, e não em cumprimentos.

Custe o Que Custar...

Não sei quanto a você, mas decidi que, custe o que custar, serei feliz até que Jesus venha me buscar. Já vivi cinco décadas e gastei boa parte da minha vida sentindo-me miserável. Não pretendo gastar o resto dos meus anos sentindo-me assim. Se você está como eu estava, dependendo de todos para se manter "bem", será miserável assim como eu era. Mas, se você firmar-se na Rocha, descobrirá que Jesus é inabalável. Ele não oscila!

Pessoas que não conhecem Jesus vão de um lugar de dificuldade a outro. Elas têm um lugar de dificuldades à sua frente e outro por trás. Mas quando nós, Seu povo, estamos nessa posição, temos um lugar de dificuldades atrás de nós e Jesus, a Rocha, à nossa frente. Quando as dificuldades estão diante de nós, Jesus está ao nosso redor! Somos os únicos que, possivelmente, podemos estar entre a Rocha e a pedra (dificuldades)!

Sim, é maravilhoso estar na Rocha! Tudo o mais é *inseguro*. O dicionário *Webster* descreve *insegurança* como

A Raiz de Rejeição

instabilidade, incerteza. Quando você pensa sobre isso observa que uma pessoa insegura é também instável e incerta. A definição também diz que *insegurança* significa falta de confiança, indecisão, vacilação e debilidade. Você já se sentiu assim? Sua vida não precisa continuar desse jeito!

Romanos 8.35-37 diz: *Quem nos separará do amor de Cristo? Será sofrimento, aflição e tribulação? Ou calamidade e angústia? Ou perseguição, ou fome, ou nudez, ou perigo, ou espada? Como está escrito, por sua causa nós somos entregues à morte todos os dias: somos considerados e contados como ovelhas para o matadouro. Contudo, em meio a todas essas coisas, somos mais do que vencedores e ganhamos uma vitória incomparável através daquele que nos amou.*

Você é mais do que vencedor quando alguém o maltrata e não aprecia seu valor ou dignidade! Você pode ter um problema, desde que o problema não o tenha; você é mais do que vencedor. Você ganhou uma vitória incomparável. Como? *Através daquele que nos amou* (versículo 37)! Esta é a sua vitória, **o amor de Deus**: *Porque eu estou persuadido, sem dúvida alguma (estou convicto), de que nem a morte, nem a vida, nem os anjos, nem os principados, nem as coisas iminentes. indesejáveis e ameaçadoras, nem as coisas por vir, nem os poderes, nem a altura, nem a profundidade, nem qualquer outra coisa em toda a criação, será capaz de separar-nos do amor de Deus, que está em Cristo Jesus, nosso Senhor* (Romanos 8.38-39). Não importa o que venha contra nós, não vamos nos separar do amor de Deus!

Segurança em Cristo

Você está servindo ao Senhor? Então, aqui está uma boa nova: ... *nenhuma arma forjada contra você prosperará, toda a língua que se levantar contra você em juízo, você mostrará estar em erro. Esta (paz, justiça, **segurança**, ou triunfo* *sobre a oposição) é a herança dos servos do Senhor...* (Isaías 54.17). Você tem um direito comprado pelo preço de sangue para sentir-se seguro, para crer que é digno e precioso e gostar de si mesmo!

A expressão grega para *segurança* é "estar em pleno controle".[3] Você tem um direito comprado pelo sangue de Jesus para estar em pleno controle. Eu realmente gosto dessa definição porque pessoas que são inseguras não conseguem ter controle de suas vidas. O diabo prevalece sobre elas e as atormenta. Pessoas inseguras são constantemente atormentadas pelo que as outras pessoas pensam, elas possuem uma raiz de rejeição na vida e freqüentemente terminam sendo manipuladas e controladas pelos outros. São pessoas que vivem para agradar as outras, ao invés de seguir a direção do Espírito Santo. A definição grega da palavra *segurança* inclui ter pleno domínio, ser forte, governar e estar sem ansiedade, livre de cuidados.[4]

Agora observe essa palavra de encorajamento em João 3.18: *Aquele que crê nele [que se apóia, confia e depende dele] não é julgado [aquele que confia nele nunca entra em juízo; pois nele não há rejeição ou condenação; ele não incorre em condenação]; aquele que não crê (que não se apóia, confia e depende dele) já está julgado.*

O que isso significa? Simplesmente que para aqueles que crêem em Cristo não há condenação nem rejeição. Somente aqueles que O rejeitam estão sujeitos à conde-

---

[3] VINE, W. E. *Expository dictionary of the new testament words.* Old Tappan: Fleming H. Revell, 1940, v. 3, p. 335.

[4] Baseado VINE, W. E. *Expository dictionary of the new testament words*, v. 3, p. 336.

A Raiz de Rejeição

nação e rejeição. Se você é um crente, descobrirá que Jesus nunca o rejeitará!

Em Efésios 1.4-5, Deus nos diz que Ele realmente nos escolheu e adotou como Seus filhos: ... *Assim como [em Seu amor], Ele nos escolheu [realmente nos selecionou para Si mesmo como Seus] em Cristo, antes da fundação do mundo, para que nós fôssemos santos (consagrados e separados para Ele) e inculpáveis aos Seus olhos, muito acima da reprovação, diante dele em amor. Pois Ele nos preordenou (nos destinou, planejou em amor para nós) sermos adotados (revelados) como Seus próprios filhos, através de Jesus Cristo, de acordo com o propósito da Sua vontade [porque agradou a Ele e foi Seu terno intento].*

Gosto da parte que diz que Ele *realmente nos selecionou para Si mesmo como seus*! Quando o diabo procura me atormentar, gosto de dizer a mim mesma: "Joyce, Deus não tomou você acidentalmente! Não foi como se Ele não tivesse outra opção! Ele olhou ao redor e disse, propositadamente: "Eu quero aquela"! Pode ser que alguns dos anjos tenham dito:"O Senhor tem certeza? Deixe-nos ler para o Senhor o currículo dela! Deixe-nos dar-lhe um breve panorama da vida de Joyce Meyer! Senhor, se está pretendendo formar uma pregadora hoje, talvez seja melhor escolher novamente"! Mas o Senhor disse: "Não! Eu quero aquela! Quero Joyce"!

A Bíblia diz que Deus escolhe as coisas fracas e os tolas do mundo (veja 1 Coríntios 1.27). Gosto da palavra *escolher*! Deus nos *escolhe*! Não somos impostos a Ele, sem que Ele possa fazer nada a respeito. Todas as outras pessoas no mundo podem rejeitá-lo, mas Deus olha para você e diz: "Eu te escolhi"!

O Salmo 27.10 diz: *Ainda que meu pai e minha mãe me abandonem, contudo o Senhor me acolherá [adotando-me como seu filho].* Você compreende isso? Embora minha mãe e

Rejeição: Causas... e Conseqüências

meu pai me abandonem, Deus me toma e me adota como Sua própria filha!

Causas da Rejeição

Apenas um pouco de rejeição pode causar uma ferida para a alma que abrirá uma porta. Por meio dessa porta aberta, o diabo pode trazer um espírito de rejeição que governará a vida de uma pessoa. Há muito poucas pessoas que não são seriamente afetadas pela rejeição quando adultas. Quais são as causas da rejeição? A lista é longa, mas vamos apenas cobrir algumas das causas principais:

– gravidez indesejada;
– aborto desejado e tentado;
– uma criança nascida com sexo "errado" (isto é, pais que desejavam menino, mas tiveram uma menina, ou vice-versa);
– uma criança nascida com deficiência, incluindo dificuldades de aprendizagem – problemas físicos, etc.;
– comparações com outro irmão;
– adoção;
– abandono;
– a morte de um ou ambos os pais;
– abuso – físico, verbal, sexual, emocional – e privação de amor;
– pais com problemas mentais (a criança pode se sentir abandonada);
– ser vítima das circunstâncias, incluindo enfermidades crônicas seguindo o nascimento, o que requer hospitalização prolongada;
– rejeição de colegas;
– conflitos dentro do lar;
– rejeição no casamento, infidelidade ou divórcio.

A Raiz de Rejeição

Como já declarei anteriormente, a rejeição pode atacar uma pessoa enquanto ainda estiver no ventre materno. Isso pode ocorrer por intermédio de uma concepção indesejada, um aborto desejado ou tentado. Em alguns casos, as sementes de rejeição são plantadas ao nascer, quando pais que desejavam uma menina descobrem que o novo bebê é um garoto, ou vice-versa. Uma criança que nasce com algum tipo de deficiência e de inabilidade pode experimentar rejeição, assim como crianças que são comparadas freqüentemente com um irmão ou irmã. Tais comparações podem abrir uma porta para o espírito de rejeição governar a vida das pessoas.

Adoção, abandono ou até a morte de um dos pais podem causar rejeição. Como já vimos, David Brainerd, um grande homem de Deus, sentia obrigação de ser perfeito porque seus pais tinham morrido quando ele era muito novo. Assim, o abuso não é necessariamente a única causa da rejeição, contudo é a causa principal. Todos os tipos de abuso, incluindo físico, verbal, sexual, emocional e retenção de amor, definitivamente, plantam sementes de rejeição.

Uma mulher que trabalhou comigo no ministério me disse como ela se sentia rejeitada como resultado de seu pai tornar-se mentalmente doente quando ela ainda era criança. Ele estava ali fisicamente, mas mentalmente estava ausente. Ele não podia participar de atividades normais da família. Ela disse: "Eu me lembro de pensar: 'Por que papai não me ama mais? Por que ele não conversa mais comigo'"? Crianças nem sempre entendem o que está acontecendo e podem considerar situações problemáticas como rejeição.

Algumas vezes, as crianças são simplesmente vítimas de circunstâncias, tais como um recém-nascido que

Rejeição: Causas... e Conseqüências

tem de permanecer no hospital por dois ou três meses antes de os pais poderem levá-lo para casa. Talvez os médicos e enfermeiros sejam incapazes de demonstrar grande carinho, e o bebê se ressente disso.

Talvez uma criança tenha nascido num lar onde haja conflitos constantes. À medida que a criança cresce, assume o conflito como sua culpa: "Se eu fosse melhor, então mamãe e papai não brigariam tanto"! Ainda que o ideal seja que os pais nunca briguem, se você tem uma discussão na frente de seus filhos, certifique-se de que voltará a eles mais tarde com algum tipo de explicação. Assegure-lhes que, embora as pessoas se amem, nem sempre estão em perfeito acordo o tempo todo. Esteja certo de que seus filhos sabem que seus problemas não são culpa deles.

Freqüentemente, quando há uma série de turbulências no lar, uma criança terminará se sentindo ignorada. Porque os pais estão gastando muito tempo lidando com seus próprios problemas, se esquecem de atender às necessidades da criança, e os filhos se sentem rejeitados!

Há ainda a rejeição dos colegas. Todos experimentam rejeição de companheiros de tempos em tempos, em diferentes níveis. Adolescentes enfrentam uma tremenda ansiedade hoje apenas tentando ser aceitos. Isso pode atingir os filhos em cada estágio do crescimento. Adultos sentem isso também. A rejeição de pessoas ao redor ocorre a cada nível. Nós todos necessitamos de aceitação.

Tenho sentido certa pressão de outras pessoas mesmo no ministério. Algumas vezes, estou entre um grupo de ministros, e há algumas pessoas de destaque ali que são bastante conhecidas. Eu posso me sentir rejeitada se eles parecerem não se interessar em conversar comigo. Muitas pessoas têm a tendência (errada) de ignorar ou excluir outras pessoas simplesmente porque não estão no mesmo nível de talento, realizações ou prestígio. O diabo certamente usa essas oportunidades para lançar um senso de rejeição em alguém que já é inseguro. Não é de admirar que a Bíblia nos diga para não fazer acepção de pessoas (Atos 10.34). Por meio da Palavra, o Senhor nos diz para tratarmos todos da mesma forma, para amarmos todas as pessoas. Devemos, determinadamente, nos aproximar de pessoas que parecem inseguras, solitárias e desconfortáveis.

Há também rejeição ligada ao casamento, que inclui divórcio, infidelidade, condições negativas no lar. Tudo isso é uma porta aberta para a rejeição. Talvez você tenha visto fruto de rejeição ou de uma maldição hereditária e, mesmo que tenha odiado os problemas do seu lar durante a infância, tem continuado com o mesmo padrão de comportamento. É necessário dizer que a rejeição pode ser encontrada em qualquer lugar.

Resultados da Rejeição

Se você tem uma raiz de rejeição ou está num processo não concluído de cura desse problema, há a probabilidade de que aquilo que considera como mais rejeição não seja realmente o caso. Você pode estar sofrendo um tormento desnecessário, o qual se dissipará se você apenas entender que tais sentimentos vêm de uma raiz antiga e de formas antigas de crer. O medo da rejeição nos leva a pensar e a sentir que estamos ainda sendo rejeitados, quando freqüentemente não é o caso.

Aqui estão os maiores resultados da raiz de rejeição:

– rebelião;
– ira;
– amargura;

Rejeição: Causas... e Conseqüências

- culpa;
- inferioridade;
- auto-imagem pobre;
- escapismo, incluindo "sonhar acordado", vício em drogas, álcool, televisão e trabalho excessivo;
- crítica;
- pobreza;
- medo de todos os tipos;
- desesperança;
- pessoa defensiva;
- dureza;
- desconfiança;
- desrespeito;
- competição;
- ciúmes;
- perfeccionismo.

A rebelião é uma resposta comum à rejeição. Pessoas foram criadas e destinadas a ser amadas e aceitas. Assim, quando são abusadas e maltratadas, sempre sentem uma ira que se expressa na forma de rebelião.

Por causa do abuso que experimentei, constantemente me sentia irada. Sorria por fora, mas interiormente estava com raiva por ter sido tão maltratada. Eu tinha tomado uma decisão: nunca mais seria ferida novamente! Pessoas nunca mais me maltratariam! Fiz alguns "votos secretos" de que ninguém mais mandaria em mim!

Você fez "votos secretos" após ter sido maltratado? Votos secretos são promessas que fazemos a nós mesmos. Talvez você tenha problemas hoje por causa de promessas que fez a si mesmo, tais como: "Eu nunca mais confiarei em alguém! Nunca mais permitirei que alguém interfira em minha vida! Nunca mais amarei alguém!

A Raiz de Rejeição

Nunca mais me aproximarei de alguém! Ninguém me machucará de novo". Você pode estar vivendo sob maldição da ira e do poder dos "votos secretos" que fez. Mas, graças a Deus, há uma forma de se libertar: Jesus é o Caminho, como Ele disse a respeito de si mesmo. A verdade da Palavra de Deus o tornará livre em cada área, se você prosseguir em tempo suficiente para renovar sua mente. João 8.31-32 diz: *Se vocês continuarem em Minha Palavra, então serão meus discípulos de fato; e conhecerão a verdade, e a verdade os tornará livres.*

Desenvolvi uma atitude muito amarga, por isso dizia: "Nunca mais deixarei alguém me dar ordens novamente! Ninguém vai entrar na minha vida e me dizer o que fazer". Como resultado, levei muitos anos para aprender como ser uma esposa submissa porque encarava uma série de coisas que Dave fazia como rejeição. Eu entendia seus esforços ao cuidar de mim como tentativa de controlar e interferir na minha vida. Eu tinha medo de confiar!

Muitas vezes, ele me dizia: "Joyce, por que você age como se eu estivesse tentando atacá-la"? Por quê? Porque eu já tinha estabelecido em minha mente que todos estavam me atacando! Foi difícil para Dave durante aqueles dias em que ele tentava me amar, tentava fazer o que um marido deve fazer, dando-me boa orientação; mas ninguém podia me dizer nada. Eu já tinha tomado a decisão de que ninguém me controlaria. Levou tempo, mas, a graça a Deus, agora sou livre!

Amargura é outro resultado da rejeição, assim como a autopiedade e o escapismo. Pessoas encontram muitas formas de escapar das realidades da vida. Algumas passam muito tempo "sonhando acordadas" ou vendo

Rejeição: Causas... e Conseqüências

televisão; outras alteram seu comportamento com drogas e álcool. Algumas se tornam "viciadas em trabalho". Mas o escapismo nunca funciona por muito tempo.

Outros resultados da rejeição incluem:

– crítica;
– culpa;
– inferioridade;
– auto-imagem pobre.

Ironicamente, essas atitudes também levam a mais rejeição!

A pobreza pode ser resultado da rejeição. Muitas pessoas vivem na pobreza material simplesmente porque têm uma imagem pobre de si mesmas. Elas não se sentem dignas de ter alguma coisa, embora Jesus morresse para que pudéssemos prosperar e ter nossas necessidades supridas. O versículo de 3 João 2 diz: *Amado, oro para que você possa prosperar de todas as formas e para que [seu corpo] possa manter-se saudável, assim (como eu sei que) sua alma vai bem e prospera.*

Qualquer tipo de medo é resultado da rejeição, assim como a desesperança e o sentimento excessivo de defesa. Eu era tão defensiva que se alguém sugerisse que falhei eu estava pronta a dizer quão errado estava a meu respeito, como me entendera mal.

Desconfiança, desrespeito, competição e ciúmes também são resultados destrutivos da rejeição. Como lidamos com todos esses aspectos da rejeição? Freqüentemente, agimos de forma exagerada por meio do perfeccionismo. Se temos uma raiz de rejeição, constantemente tentamos fazer compensações com relação a isso. Se nos sentimos mal interiormente, tentaremos fazer algo exterior para

A Raiz de Rejeição

compensar o problema. Esse medo de ser rejeitado leva a um perfeccionismo infrutífero! Tornamo-nos viciados em trabalho, tentando obter nosso valor próprio pelo que fazemos. O perfeccionista sente que se ele puder fazer tudo perfeitamente, não cometendo erros de forma alguma, então nunca sentirá a dor da rejeição porque ninguém encontrará um motivo para rejeitá-lo!

3

A Rejeição e a Sua Percepção

Se você tem uma raiz de rejeição em sua vida, provavelmente aprendeu a responder às coisas da forma que Deus nunca planejou. Por exemplo, se entra num local e não lhe dão atenção imediata, você assume que todas as pessoas naquele lugar não gostam de você. Você se sente rejeitado simplesmente porque percebeu que não obteve atenção. Agora, na verdade, isso pode ser a coisa mais distante da realidade. É totalmente possível que as pessoas na sala simplesmente não tenham notado que você chegou!

Eu me lembro de quando uma das minhas funcionárias tinha sentimentos feridos porque achava que eu prestara mais atenção em outras do que nela em certo evento. Eu nunca a teria ofendido! Quando fiquei sabendo como essa moça se sentia, fui ao Senhor e disse: "Deus, ela se sentiu rejeitada, e eu nem mesmo a vi! Por que o Senhor não me faz ver pessoas como essa moça? Não quero machucar os sentimentos de ninguém"!

O Senhor me disse: "Você não a viu porque Eu não queria que a visse! Eu a ocultei de você porque ela pensa que precisa da sua atenção, mas sei que esta é a última coisa de que ela necessita! Estou tentando levá-la ao ponto em que ela não baseará seu valor em obter a atenção de outras pessoas". Isso me ensinou uma grande lição: freqüentemente o que nós pensamos não é o de que realmente precisamos.

A Raiz de Rejeição

Como uma pessoa com raiz de rejeição em sua vida tenta nos pressionar a dar-lhe atenção ou o suporte que ela quer, a tendência natural é tentarmos realmente dar-lhe isso. Pensamos que estamos ajudando e abençoando, mas, se não atentarmos para a direção de Deus, nossa atitude pode ser a última coisa de que a pessoa realmente precisa. Ao tentarmos lhe dar o que quer, podemos estar mantendo-a presa aos seus problemas bem mais tempo do que ficaria de outra forma. Com o objetivo de ser livre, devemos deixar que Deus tire seu "apoio". Isso pode fazê-la sentir-se muito insegura e desconfortável por um tempo, mas é necessário... A cura envolve dor! O amor real não aliviará a dor, caso a atitude de "enfrentar" signifique melhora a longo prazo.

Uma pessoa com raiz de rejeição não se sente bem a respeito de si mesma. Ela está operando com uma deficiência emocional, não aprendeu que seu valor é baseado naquilo que ela é em Cristo, e não na forma como outras pessoas reagem a si.

Uma das coisas que digo às pessoas em meus seminários é: "Não deixe que a maneira como as outras pessoas o tratam determine seu valor. Você deve crescer até ser confiante o suficiente para crer que tem dignidade e valor. Se outras pessoas não pensam assim, elas é que estão com problemas".

Isso não significa que não temos coisas erradas conosco ou que não precisemos mudar! Mas, se tudo o que basta para o diabo destruir nosso valor é encontrar alguém que nos rejeite, então estaremos em grandes problemas. Sempre haverá aqueles que não gostam da forma como fazemos as coisas. Repito: **Não deixe que a opinião de alguém determine seu valor.**

Devemos deixar que Deus remova as percepções erradas que colorem nosso pensamento e substituí-las por percepções corretas e divinas a respeito de nós mesmos e dos outros.

Quando preparo uma mensagem para um seminário ou um livro, freqüentemente experimento parte daquilo que estou estudando com a finalidade de obter a mensagem. Deus usa minha experiência e me dá uma grande libertação pessoal, assim como uma informação de primeira mão para usar durante o ensino. Experiências pessoais me atingem para que eu possa compartilhar a revelação com os outros. Portanto, comumente, tenho várias oportunidades exclusivas que me ajudam a descobrir como percebemos as coisas de forma errada quando temos uma raiz de rejeição!

Uma Lição entre Lágrimas

Um dia, eu estava no escritório chorando copiosamente. Estava atravessando um dia difícil, voltara de uma viagem e estava extremamente cansada, e isso foi apenas uma das vezes! Eu nem mesmo sabia ao certo o que estava errado. Dave entrou no escritório e viu que eu estava chorando. Ele perguntou: "Há algo errado? Você pode falar a respeito"? Eu não estava realmente pronta para falar ainda, por isso respondi: "Não". Parte do que estava errado era que ele estava indo jogar golfe e estava muito frio para eu ir com ele. Tudo o que eu podia fazer era permanecer em casa e trabalhar mais. Estava me sentindo infeliz porque Dave iria se divertir e eu iria trabalhar.

Três semanas mais tarde, quando finalmente conversamos a respeito, ele perguntou: "Por que você simplesmente não me pediu para sairmos e fazermos algo juntos"? Eu não tinha uma boa resposta no momento, mas, após um tempo, eu lhe disse: "Sabe, pensei sobre sua pergunta e posso ver duas razões pelas quais as pessoas, algumas vezes, não expõem suas reais necessidades e nem pedem que alguém as satisfaça. Em primeiro lugar, não queremos correr o risco de pedir e sermos rejeitados. Assim, simplesmente, não pedimos nada. E, em segundo lugar, como mulher, eu queria que você percebesse minha necessidade e, **voluntariamente**, deixasse o golfe e me levasse a algum lugar".

Eu sabia, mais do que tudo, que Dave queria jogar golfe naquele dia, bem como que preferia jogar golfe a vagar em um *shopping* comigo. Mas eu queria que ele **quisesse** ficar comigo. Queria que ele dissesse: "Querida, você é tão maravilhosa! Deixe sacrificar-me por você hoje"!

Pelo contrário, ele disse: "Oh, você está chorando. O que está errado? Há algo errado"? Eu pensava: "Você deveria SABER o que está errado"! Mas sabe como é quando você está chorando e é apanhado de surpresa... Dessa forma, simplesmente eu disse: "Não estou pronta para falar a respeito. Eu o deixarei saber quando puder falar".

Dave foi para o quarto aprontar-se para o seu jogo, e quando minhas emoções se equilibraram eu estava pronta para conversar. Fui até o quarto e disse: "Muito bem, eu estou calma agora. Podemos conversar". E ele respondeu: "Certo, deixe-me apenas acabar de me aprontar".

Dave terminou de vestir-se e veio ao escritório. Eu tinha meu discurso todo pronto, mas, antes que pudesse pronunciar uma palavra, ele disse: "Bem, você vai ter de ser rápida porque estou atrasado"! Assim, eu disse: "Bem, não importa! Realmente não era algo importante! Você deve ir e ter um bom divertimento! Eu estarei bem". Ele respondeu: "Muito bem, vejo você à noite quando voltar".

Chorei o resto do dia. Eu me sentia esmagada. O tempo todo eu estava pensando: "Que bobagem! Eu sei que meu marido me ama! Eu sei que ele não me machucou de propósito! Mas por que me sinto tão mal"?

A Rejeição e a sua Percepção

Bem, descobri algo nesse episódio! Não somente Deus cura nossas feridas emocionais, por causa da rejeição do passado, mas Ele também cura nossos hematomas! Muitas vezes, somos feridos em certas áreas porque esses hematomas ainda estão em processo de cura. Eu já tinha obtido um grande nível de cura, esse tipo de episódio de choro já não acontecia freqüentemente. Creio que isso ocorrera por duas razões: ensinar-me algo novo (dar-me um novo nível de libertação) e preparar este ensino a respeito da raiz de rejeição.

O que Deus me mostrou é que a dor da rejeição emocional vai além do nosso raciocínio. Ela ultrapassa nosso pensamento racional. Eu podia ser bastante razoável e dizer: "Sei que Dave me ama e não quer me machucar por nada! Sei... eu sei... sei"! Mas eu ainda estava machucada emocionalmente. Não compreendia a razão. Esse sentimento de dor ia e vinha, e, então, mais algumas coisas aconteceram para atirar lenha ao fogo. Finalmente, após duas ou três semanas, recebi uma revelação sobre a rejeição que grandemente me ajudou, e creio que irá ajudá-lo.

Dave e eu, finalmente, conversamos sobre o dia quando ele me viu chorando no escritório. Quando comecei a descrever meus sentimentos, ele disse: "Você deve estar brincando! Sabe o que pensei quando a vi no escritório chorando? Pensei que você estivesse intercedendo! Quantas vezes já entrei em seu escritório e a encontrei orando, com lágrimas correndo pelo seu rosto? Eu perguntava 'Algo errado'? E você respondia, 'Não, estou bem. Estou apenas orando'. Assim, quando voltei ao escritório, pensei que você estava tentando dizer algo a respeito do que tinha orado e eu não tinha tempo para conversar mais. Não podia imaginar que era *você* quem estava com problemas"!

Veja, o que **percebi** não era a verdade de forma alguma. Percebi Dave como alguém frio, impessoal, descuidado e egoísta; mas ele nem mesmo sabia que eu estava com um problema. Meu medo de rejeição me impediu de ser sincera com ele e fiquei machucada. Realmente eu não tinha comunicado o problema de maneira adequada.

Percepções Podem não Ser a Realidade

Quantas vezes sofremos de forma insuportável porque alguém não nos deu o que pensávamos que deveria nos dar e, realmente, eles não têm percepção daquilo que pensamos de que precisamos?

Sua percepção é como você vê as coisas. Quero dizer novamente que, muitas vezes, você sente que alguém o está rejeitando quando, na verdade, não está. Algumas vezes, você sofre muito simplesmente por causa de uma imaginação fértil.

Até poucos anos atrás, Dave e eu discutíamos muito, porque às vezes ele não concordava totalmente comigo. Ao concordar comigo, ele estaria dizendo que eu estava certa, e isso me mantinha sentindo-me bem. Eu precisava disso porque, quando estava "bem" ou estável, eu me sentia confiante, segura e firme. Se ele não concordasse comigo, eu ficava emocionalmente desnorteada e tinha todo tipo de reações indevidas. Eu não compreendia o motivo. Dave até mesmo me dizia: "Por que você age como se eu a estivesse atacando todas as vezes que não concordo com você? Joyce, tenho o direito de dar minha opinião! De outra forma, não há comunicação! Realmente não estamos nos comunicando se eu somente ouvir o que você disser e responder. "Sim, querida, sim"! Eu não podia dar uma resposta sensata, já que nem eu mesma compreendia minha reação.

A Rejeição e a sua Percepção

Algumas vezes, Dave e eu conversávamos sobre algo que era importante para nosso relacionamento, e eu precisava considerar sua opinião. Mas eu realmente não queria discutir... somente queria ouvi-lo dizer: "Sim, você está certa"! Todos nós estamos conscientes de que isso não é comunicação. Isso é manipulação e controle. Como resultado do meu comportamento, ele perdeu o interesse em conversar comigo sobre qualquer coisa significativa. Em várias ocasiões, irritada, eu lhe dizia: "Precisamos conversar"!

Ele, finalmente, disse: "Joyce, **nós** não precisamos conversar! Afinal, você fala e eu ouço"! Era triste, mas eu realmente não sabia por que tínhamos esse problema. Eu amava o Senhor e estava ajudando muitas outras pessoas. Dave e eu tínhamos um grande casamento, mas não conseguíamos nos comunicar de forma bem-sucedida. Não tínhamos brigas violentas porque recebemos uma revelação a respeito do assunto, e realmente não queríamos entrar nisso. Mas precisávamos de uma solução. Eu vivia clamando a Deus: "Qual é o problema"? Eu não **queria** ser rebelde! Eu não **queria** ficar ofendida! Eu não **queria** que meus sentimentos fossem feridos! Mas isso foi tudo o que consegui!

Finalmente, Deus me mostrou qual era o problema. Ele disse: "Joyce, cada vez que Dave discorda de sua opinião, você recebe isso como uma rejeição. E, realmente, ele não a está rejeitando. Ele simplesmente não concorda com sua idéia".

Você deve aprender a separar suas opiniões e idéias do seu "eu" real. Apenas porque as pessoas rejeitam sua opinião não significa que elas o rejeitam! Elas podem discordar de você e ainda amá-lo e respeitá-lo como pessoa. Você deve dar às pessoas a oportunidade de discordar, ou não haverá base para um bom relacionamento.

A Raiz de Rejeição

Eu quero dizer que o equilíbrio nessa área é muito importante. Algumas pessoas dão sua opinião, muito freqüentemente, em momentos que não são necessários. Não temos o direito de dar ao mundo inteiro nossa opinião cada vez que abrirmos a boca. Isso também não é bom para relacionamentos! O equilíbrio é vital em cada área.

Pessoas com raiz de rejeição geralmente não podem ser confrontadas. Eu não tinha problema de confrontar os outros, mas não suportava ser confrontada. Eu não podia receber aquilo que eu mesma entregava! Eu tinha o dom de expressar a verdade para todos. "Bem, você precisa enfrentar a verdade"!, eu dizia. Mas, se alguém tentasse me dizer que eu podia não ter feito algo certo, eu não conseguia suportar. Eu não sabia como separar o "eu" do meu comportamento. E já que muito do meu valor próprio dependia das minhas realizações, se alguém falasse contra algo que fiz, eu considerava isso como um ataque pessoal. Se todos pensassem que eu estava certa, sentia-me "certa". Meu comportamento em tais áreas me impedia de desenvolver relacionamentos duradouros.

A Bíblia tem muito a dizer sobre correção, especialmente em Provérbios. As Escrituras nos dizem que um grande sinal de maturidade é a habilidade de aceitar a correção. Exige muito crescimento chegar a esse ponto, mas realmente podemos apreciar a correção quando verdadeiramente sabemos quem somos em Cristo. Nem toda a correção que alguém traz pode ser apropriada, mas é sábio ao menos abrir-se para Deus em tal situação.

Amo e respeito meu marido, mas Dave nem sempre está certo! Algumas vezes estou certa, mas ele não me ouve, e deveria fazê-lo! Mas há vezes em que ele está certo e eu deveria ouvi-lo, mas não o faço! Já entrei em muitos problemas porque não lhe dava atenção quando ele estava certo. Deus nos dá outras pessoas em nossa vida que têm uma perspectiva diferente da nossa, porque precisamos uns dos outros. A Bíblia diz em Tiago 3.17 que a verdadeira sabedoria do alto é mansa, *desejosa de render-se à razão*. Agora, Dave e eu ouvimos de forma melhor um ao outro, beneficiando-nos ao obter melhores resultados.

Uma Lição durante o Golfe

Aqui está outro exemplo de como a raiz de rejeição afeta nossa percepção. Dave e eu fomos jogar golfe. Ele estava com dificuldades em jogar por causa de um problema no cotovelo. Ele estava jogando mal naquele dia, tão mal que consegui ganhar a partida! Isso era realmente terrível! Numa jogada, ele teve de dar três tacadas, tentando tirar a bola de um atoleiro de areia. Dave nunca jogara assim, e me senti infeliz por ele!

Mulheres naturalmente têm um instinto maternal, e sempre queremos que tudo esteja bem. Assim, quando ele se aproximou, eu disse: "Oh, tudo ficará bem". Deilhe um tapinhas nas costas e disse: "Seu cotovelo ficará bom e tudo vai dar certo"! Ele disse: "Não sinta pena de mim! Está tudo bem! Apenas espere e verá quando me recuperar disso. Jogarei golfe melhor do que nunca"!

Quando Dave não recebeu meu consolo, senti-me abalada novamente! Senti-me desmoronar interiormente. Eu perguntava: "Deus, por que esse sentimento esmagador dentro de mim, de onde vem isso"? Creio que o Senhor estava me mostrando que muitas pessoas enfrentam isso constantemente. Realmente fiquei irada com Dave e pensei: "Oh, você é tão durão! Nunca precisa que alguém o console".

A Raiz de Rejeição

Mais tarde, ainda machucada, enquanto Dave e eu atravessávamos o campo de golfe, o Senhor revelou-me algo realmente útil para mim. Ele disse: "Joyce, você está tentando dar a Dave algo de que *você* precisaria nessa situação! Mas ele não precisa disso, por isso não o recebeu. Já que você precisa desse tipo de conforto quando está em dificuldades, sentiu-se rejeitada porque ele não está recebendo o mesmo de você".

Quanto mais pensava sobre aquilo, mais revelação recebia! Penso que as pessoas cometem esse tipo de erro a todo o momento em seus relacionamentos; elas tentam dar aos outros aquilo de que elas precisam. A razão de a pessoa rejeitar tal coisa é porque não precisa realmente daquilo! Ela não está fazendo isso de propósito. Não seria diferente de alguém oferecer um copo com água e você recusar porque não está com sede. Uma pessoa firmada na rejeição não pode compreender como alguém que ela ama rejeita seu consolo, porque, se alguém pudesse confortá-la, ela ficaria deliciada!

Você está tentando dar às pessoas aquilo de que você precisa e sentindo-se rejeitado se elas não o recebem? Quando compro um presente para alguém, percebo que gostaria de comprar-lhes algo de que *eu* gosto. Mas agora venho tentando pensar naquilo que *elas* realmente gostariam de ganhar. Algumas vezes, pessoas me dão coisas que simplesmente nada têm a ver comigo, e antigamente eu me perguntava por que, afinal, elas compravam aquilo para mim. Mas agora tenho a resposta. Tentamos dar aos outros o que queremos. Creio que essa verdade irá ajudar muitos relacionamentos. Isso certamente me ajudou, e oro para que também ajude você.

A Rejeição e a sua Percepção

Uma Lição na Agência dos Correios

Uma pequena lição ocorreu num dia em que Dave e eu fomos à agência dos Correios. Gosto que as pessoas prestem atenção em mim quando estou falando com elas. Talvez isso tenha a ver com o perfil de mestre dentro de mim. Dave tinha acabado de sair da agência dos Correios, e eu estava falando com ele sobre algo que considerava muito importante. Era importante para MIM! Dave é uma daquelas pessoas "detalhistas", que consegue observar coisas que nem mesmo consigo ver. Assim, lá estávamos nós, e eu em intensa conversação, quando subitamente percebi que Dave não parecia estar prestando atenção em mim. Ele disse: "Olhe só aquele homem saindo da agência! Sua camiseta está toda rasgada nas costas"!

Eu disse: "Dave, estou tentando falar com você sobre algo importante". E ele disse: "Bem, só queria que você visse a camiseta do homem"! Eu sentia que ele estava mais interessado na camiseta rasgada do homem do que em mim.

Novamente senti aquela rejeição esmagadora. E todo o episódio se devia simplesmente à diferença entre nossa personalidade. Ele não estava tentando ser rude comigo. Apenas algo lhe chamou a atenção. Isso não deveria ser algo com que devesse me importar, mas eu não conseguia admitir como ele podia ignorar minha grande conversa para observar o homem cuja camiseta estava rasgada! Novamente, recebi aquilo como rejeição. Minha percepção estava errada, ainda afetada, ou talvez devesse dizer *infectada* pela raiz de rejeição em minha vida.

É interessante como pensamos de forma diferente quando olhamos as coisas em toda uma existência lidando com a rejeição. Não creio que ainda tenha essa grande raiz de rejeição, pois já experimentei uma grande libertação. Mas descobri que todas as vezes que alguém esteve enfermo numa área em particular, emocional ou física, há uma pequena sensibilidade nessa área – um hematoma. Algumas vezes, por um longo tempo após a pessoa receber a cura, ela ainda será um pouco sensível em tais áreas. Se isso o descreve, não fique desencorajado. Deixe cada incidente ser uma experiência de aprendizagem, então você poderá ser impulsionado a seguir adiante, e não puxado para trás.

Testando a Revelação

Dave e eu tínhamos planejado sair da cidade no Dia das Mães. Meu filho David telefonou e me convidou para um jantar. Ele perguntou: "Você tem compromissos segunda à noite"? Respondi: "Não". Ele prosseguiu: "Bem, seus quatro filhos vão levá-la para comemorar o Dia das Mães, já que você não estará na cidade no domingo. Apenas nós quatro e você. Nem papai nem os cônjuges estão convidados".

Imediatamente eu disse: "Você não vai convidar seu pai"? Ele respondeu: "Não, ele não é nossa mãe! Pensamos em fazer algo diferente, algo especial. Geralmente, quando estamos com você, todos estão ali, todos os netos, todos os cônjuges, papai, todo mundo. Pensamos que seria melhor para você ter uma comemoração apenas com seus quatro meninos".

Pensei: "Bem, sim, seria interessante"! Mas eu lhe disse: "Não queremos machucar os sentimentos de seu pai... não queremos ofendê-lo"!

Meu filho respondeu: "Você acha que ele ficaria machucado? Não quero machucar ninguém! Se você acha que papai deve ir, vá em frente e convide-o. Mas não penso que ele se importaria".

A Rejeição e a sua Percepção

Comecei a pensar sobre aquilo e percebi que estava respondendo à situação de acordo com minha maneira de sentir, caso os meninos convidassem Dave para jantar e não me levassem. Essa foi uma verdadeira revelação para mim! Percebi que, muitas vezes, respondemos às outras pessoas baseados naquilo que nós mesmos sentimos. Apenas imaginei como me sentiria se meus filhos dissessem: "Vamos levar papai para jantar". Eu diria: "Ótimo, onde **nós** iremos"? E meus filhos responderiam: "Bem, realmente, mamãe, você não irá. Levaremos apenas o papai"!

"Vocês não vão **me** levar? Bem, o que há de errado **comigo**? O que vocês têm contra **mim**"?

Novamente, meu filho disse: "Não imagino papai sentindo-se rejeitado se nós não o levarmos para jantar no Dia das Mães, mas faça o que achar melhor".

Assim, pensei: "Bem, vou fazer um teste". Fui até Dave e disse: "Os meninos estão querendo me levar para jantar no Dia das Mães, apenas os quatro e eu. O que você acha"? Ele disse: "Oh, acho uma grande idéia! Vou para o clube jogar golfe"!

Meu marido é tão seguro! Apenas recentemente Dave e eu conversamos sobre isso. Eu disse: "Dave, você não tem idéia do quanto me abençoa por ser tão seguro". Ele não se importa com o que os outros pensam! Nunca lhe ocorreu que seus filhos o estavam rejeitando simplesmente porque me levaram para um jantar sem ele.

E eu perguntei: "Qual foi seu primeiro pensamento quando eu disse que os meninos me levariam para jantar e não convidariam você"? Ele disse: "Bem, eu achei que esta era uma grande idéia, muito criativa! E pensei, 'Será muito bom Joyce sair só com os meninos. Aproveitarei a oportunidade para sair, jogar golfe e jantar com

A Raiz de Rejeição

meus amigos". Ele apenas achou que aquela seria uma grande oportunidade!

Antes de encerrar este capítulo, lembre-se sempre de checar sua percepção quando você se sentir rejeitado. Apenas porque se **sente** rejeitado ou **percebe** rejeição numa situação não significa que esteja sendo realmente rejeitado. Isso pode ser resultado de problemas do passado, e, se é assim, é tempo de receber a cura.

4
Muros de Proteção

A dor da rejeição emocional é um dos piores tipos de dor que uma pessoa pode sentir. Quando alguém sente que foi rejeitado, há uma intensa dor emocional! Machuca muito!

Creio que costumamos nos esforçar mais arduamente para evitar a dor emocional do que a dor física. Portanto, construímos muitos sistemas de defesa elaborados para proteger nossas emoções da dor da rejeição. Muros autoconstruídos são um desses sistemas de defesa. Colocamos um muro invisível (mas real) entre nós e qualquer um que possa ser capaz de nos ferir.

Uma moça muito meiga escreveu-me uma carta recentemente e contou que participar dos meus seminários tem mudado sua vida. Ela disse que Deus realmente lhe ministrou certa noite quando ensinei sobre os muros: "Percebi que por anos vinha tentando manter as pessoas fora da minha vida simplesmente porque tinha medo da rejeição. Eu podia ver alguma pessoa conhecida num supermercado, mas fingia não tê-la visto e saía rapidamente. Eu tinha medo de dizer algo para tal pessoa e ela me rejeitar! Então, tive de lidar com a dor da rejeição"!

Veja, Satanás trabalha de muitas formas diferentes para roubar sua liberdade e sua alegria. Essas duas coisas andam juntas! Se Satanás rouba sua liberdade, ele rouba sua alegria. Você terminará vivendo dentro de uma

A Raiz de Rejeição

caixa, sempre tentando fazer o que pensa ser aceitável para todos... nunca sendo dirigido pelo Espírito Santo dentro de você.

O Significado da Rejeição

A palavra *rejeição* significa ser descartado; ser desprezado como não tendo algum valor. Ser rejeitado significa ouvir: "Eu não quero você... você não tem valor! Você não é o que eu quero! Você não é certo"! O que acontece para uma pessoa nessa situação é muito doloroso. Deus não nos criou para sermos rejeitados. Ele nos criou para sermos aceitos, amados e apreciados. Não há nada na natureza que nos foi dada por Deus que possa conformar-se com o fato de ser rejeitado.

A Bíblia nos ensina em Efésios, capítulo 1, que somos *aceitos no Amado* (versículo 6). Nunca precisamos nos preocupar se somos aceitos ou não por Deus. Se cremos em Jesus e o recebemos como nosso Salvador, há sempre uma Pessoa que nunca nos rejeitará. Ele não exige que nos ajustemos e nos tornemos perfeitos antes que Ele nos aceite. Há cura simplesmente em saber que Jesus nos oferece amor incondicional.

Milhões de pessoas na Terra, hoje, estão recebendo cura das feridas da rejeição mediante um relacionamento pessoal com Jesus Cristo. Você não pode obter isso em nenhum outro lugar. Não importa quantos cursos faça ou quantos livros de auto-ajuda leia, não creio que você possa ser permanentemente curado das feridas do abuso e da rejeição sem um relacionamento pessoal e vital com o Senhor Jesus Cristo.

A rejeição atinge a todos. Não creio que haja alguém, em algum lugar, que não tenha sido atacado pelo diabo por meio da rejeição. Você é afortunado se teve pais que realmente conheciam a Palavra de Deus e sabiam como ensinar-lhe sobre seu valor, a despeito de qualquer coisa que você faça ou daquilo que as outras pessoas pensem a seu respeito. Se você tem uma personalidade que não seja extremamente sensível, se é capaz de lançar seus cuidados ao Senhor e ignorar as coisas facilmente, isso também é uma vantagem em sua vida. Com esse tipo de comportamento, os ataques de rejeição do diabo podem tê-lo ferido menos severamente do que a outros. Mais há muito poucas pessoas que estão nessa categoria.

Rejeição por Herança

A maioria das pessoas foi criada por pais que, embora fizessem o melhor que sabiam, já tinham uma raiz de rejeição em sua própria vida. Eles não sabiam outra coisa a não ser passar isso para seus filhos. A maioria das pessoas nem sabe como separar aquilo que alguém "é" daquilo que essa pessoa "faz". Uma criança derrama um copo de leite e seus pais dizem: "Menino ruim! Menina ruim"! A criança não tem escolha a não ser pensar que toda vez que *faz* algo ruim ela *é* ruim.

Muitos cristãos têm feito isso a seus filhos. Sei disso porque eu agia assim. Graças a Deus, eu já conhecia a Palavra na época em que tive meu último filho, assim ele não teve de passar toda sua vida ouvindo quão mau ele era. Nós fomos capazes de lhe dizer: "O que você fez é ruim, mas você é bom, no seu interior você é maravilhoso! Você é grande, e Deus o ajudará a fazer o seu melhor. Nós o amaremos a despeito do que faça".

É maravilhoso quando pais instilam uma confiança divina em seus filhos, mas nem todos têm esse privilégio. A maioria das pessoas com as quais lidamos no dia-a-dia tem raízes de rejeição. Pessoas rejeitadas estão tentando ter relacionamentos com outras pessoas rejeitadas, conseqüentemente, ninguém está operando normalmente da forma que deveria, e multidões continuam a ser feridas. **Pessoas feridas ferem pessoas.**

A Parte de Deus e Nossa Parte

Quando estamos ocupados tentando mudar alguém, sejam nossos amigos, nossa família e a nós mesmos, Deus não pode operar. Ele trabalha por meio da fé, o que significa dependência dele. Deus não trabalha na carne, o que significa independência. Ele não se envolverá na situação até que tiremos nossas mãos e Lhe entreguemos a situação. Você já percebeu isso? Você ficará imensamente frustrado até aprender que não deve tentar fazer a obra do Espírito Santo! Você não pode se encarregar de fazer todas as mudanças necessárias em sua vida. Esse não é seu trabalho, mas, sim, do Espírito Santo!

Quando tentamos fazer o trabalho de Deus, não faremos progresso e nos tornaremos frustrados. Quando O deixamos fazer Seu trabalho em nossa vida, alcançamos progresso. Realmente precisamos aprender a fazer nossa parte e deixar Deus fazer a dEle. A maior parte do tempo, contudo, estamos tão ocupados tentando fazer a parte de Deus que não fazemos nossa própria parte! Nossa parte é crer; a parte dEle é fazer.

Deus quer edificar Seus muros de proteção ao nosso redor, mas, enquanto tentarmos fazer Seu trabalho, enquanto tentarmos proteger a nós mesmos, Deus não o fará. Como filhos de Deus, não temos de nos esforçar para nos proteger. Devemos colocar nossa fé sob a proteção dEle. Se continuarmos a tentar fazer isso para nós mesmos, descobriremos, afinal, que não estamos protegidos. Podemos gastar muito tempo tentando nos proteger

Muros de Proteção

da dor da rejeição e nunca edificarmos um relacionamento saudável, amoroso e equilibrado. Mas, ao permitirmos que o Espírito Santo derrube os muros errados, então Ele pode ativar a proteção de Deus que se torna disponível a nós por meio da salvação.

Quero esclarecer algo com relação à proteção de Deus. Não estou dizendo que se você confiar em Deus nunca será rejeitado! Isaías 53.3 diz que Jesus foi desprezado e rejeitado pelos homens. **Ele foi abandonado.** Creio que tudo o que Jesus enfrentou Ele o fez por mim, e, assim, ou eu nunca precisarei passar por aquilo, ou, se tiver de passar, será de forma vitoriosa. Precisamos olhar para ambos os aspectos da obra de Cristo na cruz.

Algumas vezes, posso orar e evitar a rejeição. Outras vezes, posso orar e, mesmo que tenha de experimentar a rejeição, a enfrentarei vitoriosamente, sem ser devastada por ela. Assim, penso que não seria honesto dizer que você pode viver sua vida sem nunca ser rejeitado novamente. Não acredito que isso seja possível porque a rejeição é um ataque costumeiramente usado pelo inimigo.

O diabo gosta muito de usar a rejeição para impedir que as pessoas se sintam bem a respeito de si mesmas e tenham vitória. Ele também usa a rejeição para impedir as pessoas de simplesmente obedecer a Deus e se manterem prosseguindo. Muitas pessoas nunca dão um passo além. Elas nunca saem do barco, por assim dizer. Elas amariam "andar sobre as águas", mas o medo da rejeição as mantém no barco durante toda sua existência. Elas se protegem da possibilidade da rejeição e do fracasso ao permanecerem na "zona de segurança". Deus quer nos libertar do medo e nos ajudar.

Quando as pessoas o machucam, você constrói muros? Eu o faço! Dave e eu temos um bom casamento.

Somos casados há 27 anos e temos quatro filhos. Mas, quando ele me machuca, sinto-me atingida em minhas emoções. Deus quer nos ensinar como lidar com essas situações do Seu jeito, e não do nosso.

Pela Fé

Todas as vezes que você sentir um muro se levantando, deve decidir derrubá-lo pela fé! À medida que Deus lhe revelar os muros em sua vida, você deve derrubar cada um deles pela fé! Deixe Jesus ajudá-lo a derrubar os muros que você mesmo construiu para que Ele possa se tornar seu próprio muro de proteção.

Hebreus 11 é chamado do grande capítulo da fé na Bíblia. Nele, lemos que os heróis da Bíblia realizaram grandes coisas para Deus pela fé. Pela fé, Noé construiu a arca... Pela fé, Abraão creu em Deus por um filho... Pela fé, Sara deu à luz um filho em idade avançada. Hebreus 11.30 diz que, *pela fé, os muros de Jericó caíram*... Tudo foi realizado pela fé! A fé age baseada na Palavra de Deus, e então vê o resultado.

Uma pessoa é ferida, e logo sua mente diz: "Você não irá me machucar novamente"! – e um muro é levantado! Aprendi que quando Dave me fere e sinto que um muro está se levantando, tenho de derrubá-lo pela fé. Digo "Sim, Deus, sinto que um muro está se levantando! Ajude-me a derrubá-lo"! Em vez de cuidar de mim mesma, confio em Deus para fazê-lo.

Outra coisa que descobri é que não posso dar e receber amor enquanto houver um muro me separando de outra pessoa. E já que o amor é a chave para uma vida cristã vitoriosa, como posso fluir no amor de Deus se tenho muros ao meu redor? Por que os muros estão ali?

Muros de Proteção

Porque tenho medo de ser ferida. Mas, finalmente, percebi que seria ferida de qualquer forma. Viver atrás de muros também é doloroso. Se eu deixar os muros caírem e Dave me machucar novamente na semana seguinte (o que pode acontecer), ainda tenho a oportunidade e a liberdade para dar e receber amor nesta semana. Se eu viver atrás de muros, ficarei ferida durante todo esse tempo. Se, pela fé, eu derrubar os muros e abrir minha vida aos outros, posso ser ferida ocasionalmente, mas é melhor do que viver sempre de forma isolada, solitária.

Quando você tem muros erguidos, vive uma vida miserável! Definitivamente, exige um passo de fé derrubar esses muros atrás dos quais você está vivendo por tantos anos. Mas, quando o faz, descobrirá uma nova forma de viver! Você será como um prisioneiro que foi liberto da cadeia. Você pode não saber exatamente como agir quando sair detrás desses muros e terá de correr o risco de ser ferido novamente.

"Tenho medo", talvez você diga, mas a Bíblia diz: *Deus não nos deu espírito de medo; mas de poder, amor, e de uma mente sã* (2 Timóteo 1.7). Assim, se você mantiver esses muros por causa do medo, não estará vivendo da maneira de Deus. Sim, derrubar seus muros pode significar que você será ferido, mas tenho boas novas: o Curador e Consolador vive dentro de você (se você nasceu de novo) e Ele pode curá-lo.

Não tenho a garantia de que Dave nunca me machucará novamente. Não há promessa de que meus filhos nunca me machucarão novamente ou de que nunca os machucarei. Mas há a promessa de que sempre, de alguma forma, Deus endireitará todas as coisas se eu colocar minha confiança nEle.

A Raiz de Rejeição

Permanecer num relacionamento, seja casamento, amizade, namoro, etc., e manter esses muros erguidos todo o tempo não é a maneira de Deus de agir.

Isaías 26 diz: *Naquele dia deverá ser cantado um cântico na terra de Judá: nós temos uma e cidade forte; o Senhor estabeleceu a salvação como seus muros e proteção.*

Uma nota de rodapé na *Bíblia Amplificada* explica que nos rolos do Mar Morto este versículo diz: "Tu [Senhor] tens um sido para mim um forte muro". Deus quer ser o seu muro! *O Senhor guardará e conservará em perfeita e constante paz aquele cuja mente [tanto sua inclinação quanto seu caráter] está firmado em Ti, porque ele confia em Ti (apóia-se, e espera confiantemente em Ti). Assim confie no Senhor (comprometa-se com Ele, apóie-se nele, espere confiantemente nele) para sempre; pois o Senhor Deus é uma rocha eterna [a Rocha dos séculos]* (versículos 3-4). Uau!

Você sabe o que Deus está dizendo nesses versículos? Pergunte a si mesmo: "Tenho a paz que deveria ter como parte da minha aliança"? Se você quer paz, mas não a está experimentando, talvez seja porque você esteja tentando tomar conta de si mesmo em vez de deixar Deus cuidar de você! Derrube esses muros errados ao confiar em Deus e, então, receberá sua paz. Mesmo se permanecer no meio do tumulto por um tempo, enquanto Deus estiver transformando sua situação, confie que Ele lhe trará "paz em meio à tempestade".

Algumas vezes, sentimo-nos como se Deus nos esquecesse no meio de nossas feridas, mas essa é uma mentira do diabo! Isaías 49.15-16 diz: *[e o Senhor respondeu], Pode uma mulher se esquecer do seu filho que ainda mama, de forma que ela não tenha compaixão do filho do seu ventre? Sim, ela pode se esquecer, contudo Eu não me esquecerei de ti. Veja,*

Eu o tenho indelevelmente gravado (tatuado sua imagem) na palma de cada uma de minhas mãos; [oh, Sião] seus muros estão continuamente diante de mim.

Deus está continuamente interessado em nossa proteção. Não somente podemos confiar nEle para nossa proteção física, mas também para nossa proteção emocional.

Dave e eu reconhecemos a proteção de Deus recentemente quando estávamos saindo da cidade. Paramos num restaurante à beira da estrada, e Dave entrou no lugar para fazer nosso pedido. Permaneci no carro, pensando em minhas coisas, quando outro carro bateu na traseira do nosso carro! Foi um grande impacto, mas não houve danos.

Pouco tempo mais tarde, enquanto estávamos nos preparando para sair do estacionamento, outro carro surgiu repentinamente na nossa frente e quase bateu no nosso. Graças a Deus pela sua Palavra! Eu disse: "Repreendo esse espírito de acidentes, no nome de Jesus"! Creio que há certos poderes e principados sobre determinadas áreas. Aquelas duas situações foram ataques do diabo! Quase batemos ao entrar e quase batemos ao sair! Mas, em ambos os casos, Deus nos protegeu.

É fácil perceber a proteção física de Deus. Você pode ver a mão de Deus em sua vida quando quase sofre um acidente, e de forma milagrosa isso não acontece. Mas Deus quer que vamos ir além do que podemos ver com nossos olhos naturais, e comecemos a crer nEle pela proteção emocional. Mas somente podemos receber a proteção emocional de Deus pela fé! Ele quer que exerçamos nossa fé e derrubemos esses muros que edificamos interiormente.

Confie em Deus para Sua Proteção Emocional!

Você diz: "Bem, eu vou fazer isso porque está na Palavra, amo a Deus e vou obedecer-Lhe! Mas estou com muito medo"! Compreendo como você se sente, mas é importante que prossiga até a vitória. Assim como crê em Deus para a proteção física de forma constante, você pode começar a crer nEle para protegê-lo emocionalmente.

Não espere até ser ferido ou abalado para começar a crer. Creia em Deus para a proteção emocional de forma constante. Cada dia, quando você estiver entre as pessoas, pode dizer: "Deus, creio no Senhor para me proteger emocionalmente. Não vou mais construir muros! Confio no Senhor para me proteger da rejeição emocional"!

Se confiarmos em Deus, em vez de vivermos com medo, não seremos devastados pela rejeição. Mesmo quando ela vier, não seremos duramente afetados por ela.

Não continue com todos esses muros erguidos. Não abrigue pensamentos tais como: "Essas pessoas disseram isso, e assim não vou deixá-las mais interferir em minha vida! Eu as vi, mas agirei como se não as visse, porque não quero lidar com a rejeição delas. Vou virar a esquina e almoçar sozinha porque elas rejeitam meu cristianismo. E não vou perguntar-lhes o que acharam do meu novo penteado, porque se não gostarem, eu me sentirei rejeitada"!

Essa não é uma maneira miserável de viver? Deus não quer que você viva dessa forma. Você precisa ser capaz de sair de sua casa e dizer: "Sou filho do Rei! Não sou igual aos outros; mas, graças a Deus, Sou eu! E vou andar neste dia pela fé! Sairei sem meus muros! Serei ousado! Crerei em Deus hoje"!

Muros de Proteção

Acredite, isso exige fé! Exige fé dizer: "Não vou sair com meus muros de proteção e vou confiar em Ti, Senhor! Sairei pela fé! Derrubarei meus muros pela fé e pedirei que Teus muros sejam ativados em minha vida". Isso realmente exige fé, mas vale a pena!

5
Padrões de Proteção
Contra a Rejeição

Padrão de Proteção da Rejeição
Número 1: Votos Secretos

Alguns dos maiores tijolos dos muros de proteção que construímos são os votos secretos, que consistem em promessas que fazemos a nós mesmos para nos proteger. Aqui estão alguns exemplos:

– Ninguém me machucará novamente!

– Quando eu sair dessa situação, ninguém mandará mais em mim!

– Nunca mais deixarei alguém se aproximar o suficiente para poder me machucar outra vez!

– Ninguém mais me controlará novamente!

–Vou cuidar de minha própria vida de agora em diante: ninguém mais me dirá o que fazer!

Fazemos promessas como essas a nós mesmos não apenas uma vez, mas constantemente. Dizemos a nós mesmos tais coisas interiormente. Como cresci por 15 anos num lar onde era constantemente abusada, imagine quantas vezes eu disse: "Quando sair daqui, ninguém mais mandará em mim"! Não admira que tenha sido necessário um milagre de Deus para me ensinar como ser submissa à autoridade!

Muros Criam Bloqueios

Pessoas na fila de oração freqüentemente me dizem: "Eu me saio bem em todo tipo de relacionamento, exceto num relacionamento mais íntimo. Não posso suportar nenhum tipo de proximidade. Alguma coisa está errada, há algum tipo de bloqueio. Começo a namorar, e tudo vai bem até que pareça tornar-se algo permanente. Não sei qual é o problema, mas chega um ponto em que começo a me retrair, embora não quisesse fazê-lo".

Esse problema é geralmente resultado de muros edificados por meio de votos secretos, ditos vez após vez: "Ninguém se aproximará mais de mim o suficiente para me machucar novamente".

Ou, como este: "Ninguém irá me controlar novamente! Eu cuidarei da minha vida de agora em diante, e nunca mais alguém me dirá o que fazer"! Isso estava profundamente gravado dentro de mim por dizê-lo, vez após vez.

Pessoas podem fazer votos secretos com relação a muitas coisas. Considere isso... Muitas pessoas estão em escravidão hoje porque seus pais estavam fora de equilíbrio numa área ou noutra. Por exemplo, passei um tempo tentando ensinar meus filhos a comer corretamente. Eu não os deixava comer nada com açúcar. Eu dizia: "Vocês não vão comer essas coisas ruins"! Provavelmente exagerei, o que muitos de nós fazemos, até aprendermos mais sobre equilíbrio. Agora percebo que teria sido melhor se os deixasse comer alguma coisa com açúcar ocasionalmente, mas criei uma *lei* sobre não poder comer açúcar, o que somente os fez ter mais vontade de comê-lo. Não tenho problema com açúcar, posso comer um pedacinho de algum doce e ficar satisfeita. Mas meus filhos não são desse jeito, eles amam coisas doces e pensam que têm de comê-las e ponto final!

Já conversamos sobre o motivo de eles gostarem tanto de açúcar, e me pergunto se não seria porque não foi permitido que eles o comessem quando crianças.

Esse tipo de situação pode levar os filhos a fazer um voto: "Quando eu sair daqui, você pode apostar que comerei tudo o que puder, e ninguém nunca mais me dirá que não posso comer algo"! E muitos desses indivíduos desenvolvem distúrbios alimentares mais tarde porque fizeram tais promessas a si mesmos.

Deus quer se envolver até mesmo com seu apetite! Você sabia que se tiver muros erguidos pode ser difícil até mesmo ouvir quando Deus está falando com você? Mas, à medida que seu relacionamento com Deus cresce e você coloca mais da Palavra dentro de si, Ele começa lidar com você sobre seu apetite. Ele dirá: "Não quero que você coma mais isso"!

Dinheiro é outra área na qual você pode ter edificado um muro. Talvez seus pais não lhe dessem muito dinheiro para gastar quando jovem, e você teve de viver sem algumas coisas que as outras crianças tinham. Talvez o único dinheiro que pudesse gastar fosse o que você mesmo ganhava e guardava. E, mesmo assim, tinha de comprar somente coisas de que realmente necessitasse, além de nunca lhe ser permitido comprar as coisas que desejava. Talvez você tenha ficado tão cansado de não ter liberdade financeira que começou a prometer a si mesmo: "Apenas espere até eu sair daqui! Eu comprarei tudo que quiser, na hora que quiser"!

Uma compulsão para comprar pode ser resultado de votos secretos como esse. Existem pessoas que são viciadas em compras, elas simplesmente não conseguem parar de gastar dinheiro!

A Raiz de Rejeição

Você precisa pensar sobre algumas dessas coisas que disse a si mesmo, muito tempo atrás. Não estou dizendo que tudo o que você tenha dito a si mesmo tenha criado escravidão em sua vida. Estou falando especificamente sobre coisas que dizemos e que envolvem acordos definitivos e determinados conosco. Esses votos secretos são decisões que tomamos com relação a como cuidaremos de nós e nos protegeremos.

E quanto a este: "Você não pode confiar em ninguém"! Oh, quantas vezes eu disse isso! "Você não pode confiar nos homens! Todos os homens são iguais"! Não quero ser rude, mas penso que algumas mulheres têm problemas quando se casam, mesmo em sua vida sexual, porque disseram tais coisas a si mesmas: "Todos os homens servem apenas para uma coisa"! Mesmo num relacionamento conjugal, quando você deseja que as coisas se acertem, pode pensar: "Você realmente não me ama! O único momento em que você mostra alguma afeição por mim é quando quer sexo"! Tome cuidado com a forma errada de falar consigo mesmo.

Muros Impedem Envolvimento

Sistemas errados de pensamento podem também causar um bloqueio impedindo que nos envolvamos com um grupo de pessoas. Por causa de alguma ferida ou rejeição, podemos dizer: "Nunca me envolverei com outro grupo de pessoas novamente"! Assim nos retraímos e nos isolamos.

Fui profundamente ferida vários anos atrás por um grupo de cristãos e digo que isso foi muito ruim! Nunca havia lidado com uma dor emocional como essa! Confiava nessas pessoas mais do que tudo, e foram três anos para eu me recuperar totalmente dessa dor. Construí

Padrões de Proteção da Rejeição

grandes muros e afirmei: **Ninguém mais estará numa posição para fazer isso comigo novamente**! Esse não é o plano de Deus para sua vida na igreja. Todos os membros devem se envolver.

Deus deu-me um grande exemplo do que significa estar envolvido com a igreja. Um dia, pisei no meu próprio pé, e isso doeu! Puxei meu pé e, enquanto o segurava, Deus me disse: "Agora, observe que, embora tenha pisado em seu próprio pé, isso doeu, e imediatamente você segurou o pé machucado porque não queria que ele fosse ferido novamente. Mas, finalmente, para que ele funcione como parte do corpo, você deve colocá-lo de novo no chão e correr o risco de que seja pisado novamente"! Eu não caminharia de forma correta sem que meu pé machucado voltasse a funcionar

Se alguém em sua igreja ou em sua família o machuca, sua reação imediata é se retrair. O Senhor mostrou-me que determinar-se a não se envolver novamente é como manquejar o resto da sua vida caminhando apenas com um pé. Você mutila a si mesmo por sua própria escolha, simplesmente ao dizer: "Ah, isso dói! Não vou deixar que aconteça novamente"! Você constrói um muro e recolhe-se atrás dele!

Padrão de Proteção da Rejeição nº 2: Fingimento

Além de tentar proteger-me da rejeição por meio de votos secretos, também fingia que não me importava: **Você não pode me machucar porque não me importo com o que faça!**

Alguém pode perguntar: "Oh, isso machucou você"? Você diz: "Não, de forma alguma! Eu não me incomodo"!

Há alguns versículos das Escrituras que lidam com o fingimento. O Salmo 51.6 diz: *Eis que Tu desejas a verdade no íntimo, faz-me, portanto, conhecer a sabedoria em meu interior*.

Não vou viver com amargura; vou viver tendo alegria! Fui uma pessoa com amargura por muitos anos de minha vida. Por dentro dizia: "Quem precisa de você? Eu viverei minha própria vida"! Bem, não vivo mais assim porque recebi a cura de Deus em minha vida.

Fingidores são incapazes de amar e acham difícil desenvolver bons relacionamentos. O fingimento não é limitado às mulheres. Muitos homens fingem por uma atitude machista que eles pensam que deveriam ter. Alguns deles estão sofrendo, mas não admitem isso. Nem mesmo deixam que suas esposas compartilhem sua dor. Penso que isso faz as mulheres se sentirem rejeitadas porque elas gostariam de compartilhar os sofrimentos e as dificuldades, assim como os bons tempos.

João 8.32 diz: *E conhecereis a verdade, e a verdade os tornará livres...* De fato, nada além da Verdade libertará você! Contudo, muitos cristãos que têm tentado caminhar em fé ficam confusos sobre como ser sinceros consigo mesmos e com Deus... e também andar pela fé.

Se você está espirrando a cada dois segundos, com os olhos lacrimejando e alguém disser "Você está doente", você não tem de dizer: "Não, não estou doente". Talvez você pense: "Mas se admitir que estou doente, como serei curado? Creio na cura"! Você poderia, então, falar da seguinte forma: "Não estou me sentindo bem, é verdade. Meu corpo está com vários sintomas agora mesmo, mas creio em Deus para minha cura. Embora não me sinta bem agora, creio que *maior é Aquele que está em nós do que aquele que está no mundo* (1 João 4.4). Assim, eu

Padrões de Proteção da Rejeição

gostaria que você juntasse sua fé com a minha e cresse em Deus, para que Ele me tirasse disso". Eis como você caminha pela fé. Não precisa mentir e fazer as outras pessoas pensarem que é um tolo.

Seu colega vê que você obviamente está doente, mas você diz: "Não, não estou doente"!, e mais tarde ele nota um grande adesivo no vidro traseiro de seu carro e diz: "Oh, lá vai um *deles*... um daqueles "mais-santos-que-os-outros" com quem você não pode conversar porque eles não são sinceros"!

Ou, também, quando alguém o machuca e vem até você mais tarde e diz: "Desculpe-me por tê-lo machucado". Em vez de dizer "Está perdoado, está tudo bem", você diz: "Oh, não tem problemas, você não me machucou".

Por que não podemos aprender a ser sinceros e verdadeiros? Uma coisa a meu favor é que eu sou franca e sincera. Nem sempre fui sincera, mas esse é um dom de Deus! não creio que poderia ter superado todo o lixo que enfrentei se Deus não me dotasse com a habilidade de ser sincera.

Pessoas me dizem todo o tempo: "Gosto do seu ensino porque você é bastante franca! Você apenas diz aquilo do jeito que é, e não age como se nunca tivesse problemas"! Sou assim porque não conheço outra forma de ser. Não acho que poderia ensinar se tivesse de desempenhar algum tipo de papel.

Dave e eu tentamos ser verdadeiros um com o outro. Algumas vezes eu lhe digo: "Deve, isso aconteceu comigo, ou aquilo aconteceu comigo, e simplesmente me machucou. Ore para que eu possa superá-lo e ficar bem novamente".

Por muitos anos de minha vida, contudo, eu não era nada além de uma pessoa fingida; toda minha vida era uma mentira. Existem muitas pessoas com grandes feridas e dores, contudo elas mentem e dizem: "Isso realmente não me importa"! Elas estão edificando muros por meio da falsidade.

Recentemente, um dos meus auxiliares, que estudou psicologia, conversou comigo a respeito de mecanismos de defesa. Ele disse que algumas pessoas tentam lidar com a morte de algum amado, ao se recusarem a enfrentar o fato, dizendo a si mesmas: "Não, isso não aconteceu. Não vou enfrentar essa situação"! Mais isso é algo falso. Você não pode fingir, tem de enfrentar a realidade! Você deve dizer: "Essa pessoa se foi, e isso dói! Vou sentir sua falta porque ela desempenhou uma parte importante em minha vida. Mas Deus ainda tem planos para mim, Ele me deixou aqui e ainda tem algo nesta Terra para mim. Assim, vou continuar e descobrir o que é. Sei que vou precisar de um tempo de cura e restauração, mas, com Jesus, conseguirei"!

Se não você enfrentar a realidade quando um amado morre ou em uma perda de qualquer espécie, se edificar muros assim que começar a sentir a dor, poderá sofrer para sempre.

Você tem sido uma pessoa fingida? Você, algumas vezes, acha difícil ser verdadeiro com as pessoas?

Efésios 4.15 diz: *Que nossa vida amorosamente expressem a verdade (em todas as coisas, falando verdadeiramente, lidando verdadeiramente, vivendo verdadeiramente)...* Agora, falar a verdade não significa que vamos chegar a alguém e dizer: "Seu penteado realmente está feio"! Se fizermos isso, não teremos muitos amigos! Eu costumava fazer isso também, sabia como falar a verdade, mas sem sabedoria alguma. Efésios 4.15 continua a dizer: *... envolvidos em amor, cresçamos em tudo e de todas as formas naquele que é a cabeça (o próprio), Cristo.*

Não, não temos de sair por aí fingindo. Não temos de tentar ser valentes ou supercristãos! A rejeição dói! Mas podemos sobreviver a ela, sem fingimento, em Cristo!

Padrão de Proteção da Rejeição Número 3: Autodefesa

Defendemo-nos da rejeição de diferentes formas. Algumas vezes nos defendemos com ira: "Você me machucou, mas compensarei a dor ao ficar furiosa com você. Eu o tornarei mais miserável do que você me tornou. Você me machucou, mais vou dar-lhe o troco"!

Quando alguém me machuca, quero que esse indivíduo pare e me ouça para que eu possa ensiná-lo como viver para nunca mais me machucar. Veja, sou uma boa mestra, e o dom de ensino não funciona apenas no púlpito! Mas as pessoas nem sempre são receptivas a receber o ensino. Assim, devo aprender quando permitir que meu dom funcione e quando perceber que não devo tentar ensinar alguém o tempo todo.

Quando ensinamos às pessoas todas as coisas que elas devem fazer para nos fazer felizes, tais coisas se tornam leis para elas. Aqui está um exemplo do que eu quero dizer:

Dave é muito bom para mim. Ele é simplesmente maravilhoso! Para certas coisas ele é melhor do que os outros, mas ele nunca foi um grande comprador de presentes. Agora, ele me comprará tudo o que eu quiser em qualquer data especial, isto é, se pudermos comprar. Ele dirá: "O que você quer? Vamos, eu a levarei à loja, e compraremos o que você quer". Ele sempre diz: "Qual é o sentido de comprar algo e trazê-lo para você? Você sempre quer trocar o presente! Não gosta da cor, ou disto ou daquilo, etc."!

A Raiz de Rejeição

Para as mulheres, não importa se elas têm ou não de trocar um presente. Elas apenas querem saber que o marido delas foi ali, andou pelo shopping e tentou encontrá-lo. Esposas não se importam se vão gostar dos presentes ou não; isso não faz nenhuma diferença. Elas apenas querem que o marido tenha o trabalho de encontrar algum presente. Elas querem saber que isso custou algo do marido, algo além do dinheiro.

Dave e eu saímos da cidade no final de semana do Dia das Mães. Meus filhos tinham me levado para comemorar antes que viajássemos, e no domingo tínhamos somente uma das nossas filhas conosco. Éramos apenas os três. Não penso que alguém mais se lembrava de que era o Dia das Mães, exceto eu mesma. Finalmente, disse à minha filha: "Deseje-me um feliz Dia das Mães"! Ela disse: "Certo. Feliz Dia das Mães"!

Bem, fomos à igreja e fizemos muitas coisas. Estivemos muito ocupados. Eu disse a Dave: "O que você quer me dar no Dia das Mães"? Ele respondeu: "Você pode ter o que quiser"! Mas eu disse: "Não! O que **você quer** me dar no Dia das Mães"? "Bem, o que você quer"?, ele perguntou.

Durante o dia inteiro resisti à tentação de fazê-lo sentar-se e dizer-lhe: "Agora, querido, eu gostaria, amorosamente de lhe explicar como isso me machuca"! Mas isso não teria nenhum efeito! Você sabe o que aconteceria se fizesse isso? Na próxima data especial, ele se sentiria **obrigado** a sair e a comprar algo apenas para me fazer feliz. E não teria nenhum significado para mim se ele o fizesse com essa motivação.

Tínhamos algum tempo naquela tarde e eu disse: "Vamos ao shopping"! Logo ao chegarmos ali, pedi: "Vamos comprar um presente para mim pelo Dia das Mães"?

Dave disse: "Certamente! O que você quer"? Ele comprou-me uma linda roupa.

Eu teria gostado mais se tivesse acontecido de outra forma, mas o ponto é que Dave me ama, tem grandes qualidades e faz muitas coisas que outras pessoas não fazem. Portanto, por que me importar com apenas uma coisa?

Não importa quem esteja ao seu redor, as pessoas não irão fazer tudo para agradar-lhe 100% das vezes. Assim, resisto à tentação de colocar regras em Dave ou qualquer outra pessoa e dizer como devem me tratar para eu não ser ferida. **Devemos lançar nossa defesa sobre o Senhor.**

Quando tentamos colocar uma série de regras em nossos relacionamentos, esse é um sutil método de autodefesa! Estamos tentando dizer às pessoas como nos tratar para que não edifiquemos muros de proteção em nossa vida! Quando tentamos transferir tal revelação para outra pessoa, entramos num grande legalismo! Se deixarmos que Deus lhe traga essa revelação, ela aprenderá algo que será feito de forma permanente... com alegria.

Padrão de Proteção da Rejeição Número 4: Defesa Verbal

Quando usamos o padrão de proteção da defesa verbal, tentamos convencer os outros de que estamos certos.

É interessante notar que Jesus nunca se defendeu. A Bíblia diz que Ele confiava no Senhor em tudo. Em meio ao abuso, Ele confiou tudo, inclusive a si mesmo, Àquele que julga retamente (1 Pe 2.23). Jesus prosseguia realizando coisas para o Senhor, fazendo o bem, e em particular, curando a todos os oprimidos do diabo.

A Raiz de Rejeição

Quando nos entregamos totalmente a Deus e nos ocupamos com Sua obra em vez de gastar nosso tempo tentando nos defender, os muros autoconstruídos ao nosso redor cairão. Precisamos deixar nossa vida convencer os outros de que nosso coração está no lugar certo, em vez de tentar convencê-los ao nos defendermos verbalmente.

Se você tem cuidado da sua própria defesa, peço que se lembre de que Jesus é o Seu advogado. Isso significa que Ele é seu defensor, Aquele que pleiteia a sua causa. Vamos deixar que Ele seja sua defesa.

Padrão de Proteção da Rejeição n° 5: Comprando Proteção

Você abençoa outras pessoas porque as ama, ou para fazer com que elas o amem? Houve um tempo em minha vida em que tentei comprar proteção para que ninguém me rejeitasse. Eu pensava que se eu fosse extremamente agradável com as pessoas e lhes desse presentes poderia me proteger da rejeição delas. Em certos relacionamentos, quando queria me certificar de que não seria rejeitada, realmente fazia isso.

Mas me enganei quanto a isso. Eu realmente pensava que estava caminhando em amor, até Deus me revelar que eu não estava dando meu amor livremente aos outros, e, sim, tinha segundas intenções. Estava dando aos outros com o objetivo de que eles me amassem, para impedi-los de me rejeitar.

Quando você dá um presente, deve ser sempre pela alegria de dar, e não com um motivo adicional de tentar manipular o presenteado de alguma forma, para que ele sinta que deve algo a você.

Padrões de Proteção da Rejeição

Algumas vezes, muitos pensam: "Bem, vou impedi-lo de me rejeitar! apenas o tratarei maravilhosamente... serei muito bom com você... farei muitas coisas maravilhosas para você e, por isso, você desejará estar ao meu lado o tempo todo"!

Uma mulher que conheci tem uma tremenda raiz de rejeição em sua vida, um terrível espírito de insegurança, por isso arruína relacionamentos ao sufocar as pessoas. No minuto em que descobre que alguém lhe dá alguma atenção e que ela pode desenvolver um relacionamento com essa pessoa, seja amizade ou namoro, começa a enviar-lhe presentes, cartões e a telefonar freqüentemente. Ela simplesmente passa dos limites. Seu comportamento está fora de equilíbrio.

Se você perguntasse a essa mulher, ela diria que estava sendo dirigida pelo Espírito. Ela diria: "Bem, apenas tento ser agradável com as pessoas"! Mas ela não está enfrentando a realidade de que tenta comprar relacionamentos. Ela tenta comprar proteção contra a rejeição!

Quando as coisas saem de equilíbrio em nossa vida, podemos nos tornar desagradáveis. Então, nossas ações bem-intencionadas têm o efeito oposto do que pretendíamos. Por quê? Porque as pessoas podem sentir que algo não está sendo feito com a motivação certa.

Quais são os padrões de proteção contra a rejeição em sua vida? Você precisa identificá-los para que Deus possa ministrar-lhe libertação, a libertação da raiz de rejeição!

6
Rejeição e Perfeição

Ao lidar com pessoas, você deve lembrar-se de que é impossível que elas ajam sempre de maneira perfeita. É impossível, não importa quão maravilhosas elas sejam, nunca cometer erros ou dizer a coisa errada na hora errada. Contudo, uma das coisas que causam problemas nos relacionamentos é a expectativa **irrealista** de perfeição.

Nós, humanos, temos uma tendência de tentar mudar os outros. Tentamos treiná-los de forma que eles nunca nos machuquem. Buscamos viver num estilo de vida tipo "incubadora", no qual ninguém pode nos tocar ou abalar.

Muitas pessoas gastam grande parte da sua vida declarando: "Eu não serei ferido"! Elas vão ao extremo para se proteger da rejeição, vivendo numa solidão terrível porque se retraem e se recusam a envolver-se com pessoas. Existem algumas que se envolvem até certo ponto e, quando o relacionamento começa a tornar-se mais íntimo, também se retraem e evitam um envolvimento maior.

Ao se protegerem de um tipo de dor, essas pessoas criam outro tipo de sofrimento. A solidão é dolorosa! É doloroso ver pessoas interagindo com outras e vivendo bons relacionamentos enquanto você permanece o tempo todo sozinha. Se você é uma dessas pessoas, creio que este livro a ajudará. Creio que há uma unção específica nesse ensino para trazer liberdade àqueles que têm sofrido pela dor da rejeição!

A Raiz de Rejeição

Perfeição: um Tipo de Proteção

No último capítulo, discutimos várias formas de como uma pessoa rejeitada tenta se proteger de uma dor emocional maior. Aprendemos que um desses padrões de proteção contra a rejeição é comprar proteção. Neste capítulo, vamos aprender como as pessoas tentam comprar a proteção contra a rejeição por meio do seu próprio perfeccionismo.

O que é perfeccionismo? É dizer: "Vou impedi-lo de me rejeitar! Serei perfeito, então você nunca será capaz de encontrar algo errado em mim! E, se não puder encontrar nada de errado comigo, você simplesmente me amará! Você nunca me rejeitará porque nunca farei nada que possa frustrá-lo ou perturbá-lo"!

O dicionário define *perfeição* como "não faltar nada essencial"; ser da mais alta excelência; impecável; exato; sem defeito; irrepreensível e supremamente excelente. Essa definição é correta do ponto de vista natural, mas não com relação à vida espiritual de uma pessoa. Quando você pesquisa a palavra *perfeição* na Bíblia, num dicionário grego ou mesmo na *Bíblia Amplificada*, há uma conotação totalmente diferente.

A definição bíblica de *perfeição* é crescer até a completa maturidade.[5] Isso não significa que neste exato momento você não poderá fazer nada errado! O que a palavra realmente significa é que, no sentido bíblico, somos pessoas que estão prosseguindo para o alvo da perfeição.

---

[5] Baseada no seguinte: STRONG, James. *Greek dictionary of the new testament*: Strong's exhaustive concordance of the bible. Nashville: Abingdon, 1890, p. 71 # 5052; VINE, v. 3, p. 175-176.

Rejeição e Perfeição

Você está tentando ser perfeito por seu próprio esforço? Você é viciado em trabalho? Está sofrendo sob o peso de nunca sentir-se bem, nunca sentir-se adequado o suficiente, sempre se sentindo um pouco inaceitável? Sente que se pudesse ser melhor e cometer menos erros, talvez, Deus o amaria mais e responderia às suas orações mais freqüentemente e, então, talvez as pessoas o aceitassem? Essa é uma mentira!

A maioria das pessoas com raiz de rejeição sofre insuportavelmente com o problema do perfeccionismo. Sofri com isso durante muito tempo em minha vida. Deus tem feito uma grande obra em minha vida nessa área, mas percebo que Ele está constantemente me levando à libertação do perfeccionismo.

Deus quer que sejamos felizes. Jesus disse: *Eu vim para que eles tenham e desfrutem da vida, e a tenham em abundância (até a plenitude, até transbordar)* (João 10.10). Ele quer desfrutemos a vida!

Descobri que, se somente puder desfrutar a vida nos dias quando fizer tudo certo, não haverá muitos dias em que eu poderei dizer: "Eu realmente vou desfrutar este dia"! Não, não temos de comprar nossa alegria com a perfeição!

Dois Caminhos para a Perfeição

Deus tem mostrado que há dois caminhos para a perfeição: o caminho legal e o caminho ilegal. O caminho legal para a perfeição é tornar-se perfeito por meio do sangue do Cordeiro, Jesus Cristo. Ele é o único Perfeito. Nós nos identificamos com Ele, enquanto *prosseguimos para conquistar o prêmio* [supremo e celestial] *para o qual Deus, em Cristo Jesus, está nos chamando a alcançar* (Filipenses 3.14).

A Raiz de Rejeição

Essa coisa chamada perfeição tem alguns aspectos interessantes. De um lado, a Bíblia nos ordena a sermos perfeitos. Então, ela nos diz que não podemos ser perfeitos em nossas próprias obras. Isso sempre me frustrava! Eu dizia: "Senhor, por que o Senhor me diz para fazer algo numa página e em outra página diz que não conseguirei fazê-lo"? Eu ainda não tinha chegado a compreender que Jesus, o Perfeito, está sentado à direita do Pai, constantemente intercedendo por mim, e, por intermédio da Sua intercessão, cada uma das minhas imperfeições eram transformadas em perfeição. Ganho o benefício da Sua perfeição por meio da fé!

Eu não compreendia essa verdade, assim me esforçava cada vez mais... lutando e lutando... tentando e tentando... porque eu amava a Deus, queria ser boa e fazer tudo certo! Eu permanecia falhando... e falhando... e falhando! Eu ficava furiosa comigo mesma! Eu me odiava! E me esforçava ainda mais e mais! Esse é um suposto caminho para a perfeição, mas é o caminho errado! Não funciona.

Deus, finalmente, disse-me: "As pessoas que agem assim baseiam-se em suas próprias obras, no seu próprio esforço e empenho. Essas pessoas estão tentando comprar perfeição por meio de suas obras! Elas estão tentando obtê-la ilegalmente"! Foi quando o Senhor me revelou que havia um único meio legal de me tornar perfeita: por meio da fé em Jesus, o Perfeito! Sabemos que, embora não possamos ver perfeição nesse momento em cada área de nossa vida, podemos ver Jesus! Gosto disso! A Bíblia diz que todas as coisas estão debaixo dos nossos pés; que temos autoridade sobre todas as coisas, embora não consigamos ver ainda todas as coisas debaixo dos nossos pés. Entretanto, podemos ver Jesus!

Creio, pela fé, que estou num processo de manifestar a plenitude ou a perfeição. O desejo do meu coração

Rejeição e Perfeição

é ser perfeita. Portanto, creio que Deus me considera como alguém perfeito enquanto estou prosseguindo na jornada. Creio que sou perfeita (completa) "em Cristo". Não compreendi isso por um longo tempo. Eu pensava: "Bem, se eu sou tão perfeita, por que prossigo fazendo coisas que não quero? Por que continuo cometendo erros"?

Por Favor, Considere Estas Escrituras

1 Tessalonicenses 5.22-24: *Abstende-vos do mal (recue e mantenha-se longe dele), seja qual for a forma e o tipo. E que possa o Deus da paz santificá-lo completamente (separá-lo das coisas profanas, torná-lo puro e totalmente consagrado a Deus) e seu espírito, alma e corpo possam ser preservados íntegros, completos e [encontrados] irrepreensíveis na vinda do nosso Senhor Jesus Cristo (o Messias). Fiel é aquele que os chamou para (Si mesmo) e completamente confiável, e Ele também o fará [cumprirá Seu chamado ao santificar e proteger você].*

Hebreus 13. 20-21, diz: *Agora possa o Deus da paz [que é o Autor e o Doador da paz], que trouxe novamente de entre os mortos ao nosso Senhor Jesus, o supremo Pastor das ovelhas, pelo sangue do [que selou e ratificou o] acordo eterno (aliança, testamento), fortalecê-lo (completá-lo, aperfeiçoá-lo) e fazer de você o que você deve ser e equipá-lo com todo o bem para que você possa cumprir a Sua vontade; (enquanto Ele mesmo) operando e realizando em você o que Lhe é agradável, através de Jesus Cristo (o Messias); para quem seja a glória para sempre e sempre (pelos séculos dos séculos). Amém.*

1 Pedro 5.10, diz: *E após você ter sofrido um pouco, o Deus de toda a graça [que transfere toda a bênção e favor], que o tem chamado para Sua [própria] e eterna glória em Cristo Jesus, Ele mesmo completará e fará de você o que você deve ser, estabelecendo-o, fundamentando-o seguramente, fortalecendo-o e firmando-o.*

A Raiz de Rejeição

Prosseguindo para o Alvo

Lembre-se do que eu disse anteriormente: "Se você tem um coração perfeito diante de Deus e prossegue para o alvo da perfeição, Ele o considera como perfeito à medida que você está seguindo sua jornada". Ele vê seu coração. A Bíblia diz: *Pois os olhos do Senhor percorrem e atravessam toda a terra, para mostrar-se forte a favor daqueles cujo coração é perfeito diante dele* (2 Crônicas 16.9–KJV). Eu costumava ler e ouvir somente a primeira parte desse versículo: *...os olhos do Senhor percorrem e atravessam toda a face da terra... procurando por alguém*, e eu ficava assustada! Eu pensava: "Oh, céus! Deus está procurando! Preciso me aprumar porque Ele precisa de mim! O mundo está numa confusão! Como Deus vai me usar na condição em que estou"?

Então, um dia, pela sua graça e misericórdia, Deus me fez ler o versículo inteiro: *pois os olhos do Senhor percorrem e atravessam toda a terra para mostrar-se forte a favor daquele cujo coração é irrepreensível diante dele.*

Filipenses 1.6 diz: *E eu estou convencido e certo disso mesmo, que aquele que começou uma boa obra em vós a continuará* (Não apenas por três semanas, ou um ano, e pronto), *até o dia de Jesus Cristo [até o momento de sua volta].*

Você está fazendo progressos enquanto prossegue para o alvo da perfeição! Deus mostrou-me algo poderoso sobre esse processo. Ele disse: **Cada pessoa está num patamar diferente na estrada da vida!** Pense sobre isso! Fomos salvos em épocas diferentes. Temos histórias de vida diferentes e alguns têm feridas mais profundas do que outros. Algumas pessoas avançam com um pouco mais de dificuldade do que outras. Graças a Deus, Ele tem um plano personalizado para cada vida!

Rejeição e Perfeição

O Senhor me mostrou que, quando a trombeta soar e Jesus voltar, os cristãos estarão nos mais variados patamares ao longo da estrada da vida. Nem todos estão no mesmo nível hoje em nossa manifestação exterior e perfeita de Cristo, e nem estaremos no mesmo nível quando Ele voltar. Mas se cada um de nós tiver um coração perfeito diante de Deus, Ele nos verá de forma idêntica. Aqueles que não estão tão aperfeiçoados quanto os outros simplesmente precisam de Jesus um pouco mais. Mas Ele tem perfeição suficiente para cuidar de cada um!

Servimos ao Perfeito, e Ele está intercedendo por nós neste exato momento. Jesus está sentado à direita do Pai, orando por mim enquanto escrevo este livro, para que cada coisa imperfeita que eu faça possa funcionar perfeitamente.

Eu costumava me esforçar e tentar fazer tudo perfeito para que as pessoas não pudessem me rejeitar. Eu pensava: "E se eu disser ou fizer as coisas erradas e as pessoas não gostarem"? Era um trabalho difícil! Eu estava tentando comprar perfeição de forma ilegal! Não estava olhando para Jesus, Aquele que é perfeito.

Um dia, Deus disse: "Joyce, você não precisa se preocupar sobre o quanto terá progredido quando a trombeta soar! Onde quer que você esteja na estrada da vida, você estará bem"! Não sei se terei concluído metade da carreira, um quarto ou três quartos, mas Jesus sabe!

Observe os versículos abaixo. Por favor, preste atenção nas ocasiões em que as palavras *perfeito* e *aperfeiçoando* aparecem nessas passagens:

E eu estou convencido e certo disso mesmo, que aquele que começou uma boa obra em vós a continuará até o dia de Jesus Cristo [até o momento da sua volta], desenvolvendo [essa boa obra], **aperfeiçoando-a** *e levando-a até à plena consumação em vós* (Filipenses 1.6).

*Não que eu agora já tenha alcançado [este ideal] ou, que já tenha me tornado **perfeito**, mas eu prossigo em conquistar (apoderar-me) e tornar meu, aquilo que Cristo Jesus (o Messias) já conquistou para mim e tornou meu. Eu não considero, irmãos, que eu o tenha obtido e conquistado [ainda]; mas uma coisa eu faço [e esta é a minha aspiração]: esquecendo-me do que fica para trás e buscando o que está adiante, eu prossigo para o alvo...* (Filipenses 3.12-14)

Nessa passagem, o apóstolo Paulo, que recebeu três quartos do Novo Testamento por meio da revelação de Deus, admite que ele não tinha ainda se tornado perfeito! Não sei quanto a você, mas me impressiona ouvir Paulo dizer: "Eu não me considero ainda perfeito"! Em vista disso, não tenho de lutar a cada dia **tentando** ser perfeita! Apenas preciso levantar-me, cada dia, **determinada** a prosseguir e, esquecendo-me do que fica para trás, prosseguir para o que está adiante. Isso significa que meus erros de 24 anos atrás (ou aqueles que cometi há cinco minutos) devem ficar para trás!

Tomando uma Decisão

Se você é como eu, terá de tomar a decisão de prosseguir várias vezes, cada dia. Quando digo coisas ao meu marido que desejaria não ter dito, embora tentasse arduamente ser uma esposa submissa, tenho de prosseguir! Digo a mim mesma: "Aí está, novamente eu o fiz! Falei o que não devia! E eu estava crendo em Deus para me ajudar a manter a boca fechada"! Então, digo: "Deus, nunca serei capaz de manter minha boca calada"? Você sabe qual é a Sua resposta? "Arrependa-se, deixe isso de lado e prossiga"!

Rejeição e Perfeição

Se você não prosseguir, sempre estará enredado pelos erros do passado. Se você quer fazer progresso, poderá avançar de forma mais rápida se não perder tempo preocupando-se com todas as coisas que não fez corretamente.

Paulo falou de prosseguir para o alvo. Qual é o alvo? Perfeição! Ser como Jesus é o alvo dos cristãos! Esse é o meu alvo! Quero ser como Jesus! Quero ser como Jesus e responder como Jesus em cada situação!

Algumas vezes, quando discuto com Dave, fico irritada comigo mesma. Tenho melhorado a respeito disso, graças a Deus! Em algumas ocasiões, Dave diz: "Você está diferente do que era alguns anos atrás! Você mudou bastante"! Mas nem sempre faço as coisas de forma perfeita.

Certa vez, estava tendo um dia difícil e parecia que, repetidamente, eu contestava Dave e tentava fazer as coisas do meu próprio jeito. No final do dia, pensei: "O que está havendo? Será que um dia conseguirei manter a boca calada"?

Então Deus me disse: "Joyce, você tem melhorado continuamente. Mas sabe o que Me faz feliz? Saber que você se importa com seu comportamento. Sim, muitas pessoas agem de forma errada noite e dia, e não se importam com o que penso a respeito do que fazem! Sinto-Me feliz quando meu povo se importa com aquilo em que penso, quando eles não querem agir de forma errada e sofrem por seus pecados e falhas".

Subitamente, a pressão que tinha sido construída dentro de mim se desvaneceu! Quem teria pensado que se sentiria mais feliz consigo mesmo por preocupar-se com aquilo que Deus pensa a respeito dele? Pelo contrário, costumamos nos sentir bastante pressionados e tentamos obter a perfeição por meio de nossas obras. E o preço disso é alto: custa nossa própria alegria!

7

Perfeitos... pela Fé!

A pressão para ser perfeito roubará a sua alegria! Você não terá tempo para ser alegre. Você não terá tempo para simplesmente descansar em Deus e desfrutar a vida. Nem mesmo terá tempo para desfrutar a presença de Deus. Por muitos anos, estive tão ocupada tentando servir a Deus perfeitamente que não tinha tempo para desfrutar a presença dEle. Quando isso acontece, o cristianismo se torna um fardo.

Algumas vezes, usamos nossa "fé" para crer em Deus para que Ele nos dê casas, carros, prosperidade, cônjuge, filhos, negócios, curas ou sucesso e nos esquecemos de crer nEle para nos aperfeiçoar! Tomamos essa tarefa para nós mesmos! Cada dia, acordamos com uma lista daquilo que não devemos fazer e nos esquecemos de envolver Deus nisso tudo, e falhamos.

Enquanto Jesus está intercedendo por nós à direita do Pai, Ele deve estar dizendo: "Eles ainda não entenderam a mensagem! Eles ainda não compreendem que sem Mim nada podem fazer"!

Há somente uma forma de obter a perfeição legalmente, e pela fé no sangue de Jesus Cristo você não pode obtê-la de qualquer outro jeito.

Digam-me, vocês que estão inclinados a estar sob a Lei, já observaram o que a Lei [realmente] diz? (Gálatas 4.21). O Antigo Testamento dizia: "Se você fizer **todas** essas coisas, será aprovado"! Mas era impossível guardar **todas**

A Raiz de Rejeição

aquelas leis. Isso era um fardo... um trabalho árduo! Isso roubava a alegria das pessoas. Deixe-me parafrasear Gálatas 4.21: "Digam-me, vocês que estão inclinados a tentar comprar a perfeição com suas obras, você fez ouviram o que a Lei realmente diz"?

Então, no restante de Gálatas 4, o Espírito Santo continua a contrastar a Antiga Aliança e a Nova Aliança. A primeira tratava-se de uma aliança de obras, de tentar alcançar a perfeição por si próprio. A outra é a aliança da promessa, quando Deus diz: "Tudo que Eu peço a vocês é que creiam em Mim! Conservem seus olhos em Mim, e Eu farei as coisas acontecerem no devido tempo"! Uma é a aliança de obras e a outra é a aliança da fé. E assim é em cada área de nossa vida. Gálatas 3.10 diz que aqueles que vivem sob a lei são *condenados à frustração*.

Contudo, muitas pessoas nunca pensam em aplicar a fé para alcançar a perfeição. Uma das minhas mensagens mais populares é sobre a graça de Deus. Eu a chamo de "Graça, graça e mais graça"! Quando Deus me deu essa mensagem, eu estava a ponto de me destruir tentando fazer obras. Eu estava ocupada noite e dia, tentando comprar perfeição com meu próprio esforço e pagando um alto preço por isso. Eu estava desistindo de minha alegria. Estava desistindo da minha saúde. Estava me consumindo... Minha mente era uma confusão. Eu era alguém muito miserável.

Esse tipo de esforço realmente rouba a força de uma pessoa. Isso simplesmente a desgasta e a faz sentir-se cansada. Jesus disse em Mateus 11.28: *Vinde a mim, todos vocês que estão cansados e sobrecarregados, e Eu os farei descansar[Eu aliviarei, refrigerarei e reconfortarei suas almas].* Muitos cristãos se esforçam em fazer as obras pela sua própria carne, tentando servir a Deus. Eles gastam tanto tempo tentando ser bons que nem mesmo têm energia

Perfeitos... pela Fé

para orar e se deixarem realmente desfrutar Deus ou "um modo de vida do Reino" que Ele oferece.

Se houvesse qualquer esperança de que eu pudesse viver uma vida perfeita com minhas próprias forças, não creio que Jesus precisaria ter o trabalho de ser meu contínuo Intercessor ao deixar Seu ministério na Terra. Por que precisamos de um intercessor? Porque há uma brecha entre nós e Deus, e não sabemos como preencher esse espaço. Assim Deus colocou um Intercessor que se coloca na brecha e faz a diferença.

Enquanto estivermos neste corpo terreno, sempre haverá uma brecha entre nós e Deus. Deus é perfeito em todos os Seus caminhos, e eu não sou! Mas Jesus, meu intercessor, está fechando essa brecha... Ele é perfeito! Ele está na brecha por mim dia e noite. Quando eu deixar esta Terra e for para o céu, Ele não precisará mais fazê-lo. Mas, enquanto estiver aqui, Ele é minha perfeição. Eu sou completa em Cristo.

Deus Nos Escolhe... Propositadamente

Paulo diz que Deus, propositadamente, escolhe as coisas fracas e tolas do mundo para que Ele possa usálas e confundir as coisas sábias (veja 1 Coríntios 1.27). Ele quer que aqueles que são sábios em si mesmos olhem para aqueles que estão sendo usados por Deus e digam: "... Você"? **Ele quer surpreendê-los!**

Anos atrás, logo após Deus ter me chamado para o ministério, Ele me deu uma visão sobre como planejaria me usar. Eu era imatura e contava às pessoas a respeito disso! Certa noite, uma jovem aproximou-se de mim numa festa da igreja e disse: "Alguém me disse que você

A Raiz de Rejeição

pensa que terá um dos maiores ministérios conduzidos por uma mulher desta nação! Você realmente disse isso"?

Respondi: "Sim, creio que o Senhor me disse isso"! Ela retrucou: "Francamente, com sua personalidade, não sei como isso poderia acontecer"! Ela realmente me disse isso!

No início, eu tinha um orgulho carnal suficiente para pensar: "Espere e verá"! Mas Deus me humilhou a ponto de eu reconhecer que isso jamais aconteceria sem Ele. Eu tive de encarar a mim mesma assim como eu era e começar a dizer: "Não posso fazer nada sem o Senhor, Deus".

Deus quer nos colocar numa posição na qual o mundo nos veja e diga: "Isso é o poder de Deus em operação"!

Por que você pensa que Jesus escolheu aqueles discípulos? Se Ele estivesse buscando perfeição, provavelmente, não teria escolhido cobradores de impostos e pescadores! Cobradores de impostos eram odiados nos dias de Jesus; eles eram os piores dos piores. Ninguém suportava cobradores de impostos! Contudo, Jesus disse a Mateus: "Quero usar você! Siga-me"! Tudo o que ele tinha de fazer para qualificar-se era seguir a Jesus. Jesus não entregou um formulário aos candidatos a discípulos e lhes disse: "Descreva todas as suas qualificações"! Ele não disse: "Bem, você ficará comigo algumas semanas, e Eu observarei quantos erros comete". Tudo o que Ele disse foi: "Sigam-me! Sejam meus discípulos! Aprendam sobre Mim e desejem ser como Eu, e os farei pescadores de homens! Eu os usarei"!

Sim, Deus escolhe as coisas fracas e tolas deste mundo propositadamente para que as pessoas possam olhar para elas e dizer: "Isso só pode ser Deus"! É isso o que Ele quer! Ele quer nos usar e que as pessoas saibam que isso é obra dele.

Perfeitos... pela Fé

Eu digo às pessoas em todos os lugares: "Você não poderia acreditar na confusão e desolação em que eu estava. Você não acreditaria no passado que tive. E olhe o que Deus está fazendo agora"! O que você poderia dizer diante disso a não ser: "Isso só pode ser Deus"! Mas, se Ele tivesse começado com alguém que não tinha problemas, alguém que fosse polido e pudesse falar tudo corretamente, as pessoas poderiam dar crédito a Joyce Meyer, em vez de a Deus. Deus e eu não temos qualquer problema em saber de quem é o crédito. Sei de onde vem a habilidade! E as ocasiões em que cometo erros servem como um doloroso lembrete de quem eu sou!

Li esta declaração recentemente: "Deus deixa patentes as imperfeições de alguns dos seus santos escolhidos propositadamente, apenas para mantê-los numa posição em que Ele possa usá-los". Pense sobre isso! Quão orgulhosos e altivos seríamos se passássemos três dias sem cometer um único erro? Como agiríamos? Imediatamente nos tornaríamos mestre de todos. Cada pessoa imperfeita teria de se submeter à nossa instrução perfeita e nos deixar dizer-lhe como poderia tornar-se perfeita assim como nós! Seríamos orgulhosos e arrogantes, e isso impediria Deus de nos usar. Deus usa homens e mulheres humildes, e não aqueles que pensam que são capazes em si mesmos.

Esforçando-se para Ser um Cristão Maduro

A maturidade cristã não é necessariamente fazer tudo perfeitamente ou nunca cometer um erro. É conhecer a Cristo e o poder da Sua ressurreição. Sabemos que cometemos erros, mas, se admitirmos nossos pecados e, sinceramente, nos arrependermos, Ele é fiel para nos

A Raiz de Rejeição

perdoar e purificar de toda a injustiça (1 João 1.9). Creio que um cristão maduro aprende como estar sob o sangue em vez de sob condenação.

Em Filipenses 3, Paulo disse que ele não chegara ainda ao lugar ideal de perfeição, mas estava determinado a prosseguir para o alvo. Numa parte do versículo 15, ele continua: *Assim que aqueles [de nós] que são espiritualmente maduros e adultos tenham esse propósito e mantenham essas convicções...* Um cristão maduro certamente estará tentando fazer o seu melhor a cada dia e fazê-lo com a motivação certa, que é seu amor por Jesus. Somos feitos justos com Deus por intermédio do sacrifício e do derramamento de sangue de Jesus Cristo, e não dos nossos esforços para agradar a Deus. Não gaste sua vida tentando agradar a Deus para que Ele possa amá-lo ou abençoá-lo mais. Deus é amor. Ele já amava você incondicionalmente, mesmo antes que você prestasse qualquer atenção nEle. Ele prometeu nunca rejeitá-lo se você **crer** nEle.

Um cristão maduro sabe que, mesmo fazendo seu melhor, ainda cometerá erros. Ele também sabe que viver sob condenação, auto-aversão e auto-rejeição não o ajudará a ter uma vida mais santa. UM CRISTÃO MADURO FAZ O SEU MELHOR E CONFIA EM DEUS PARA FAZER O RESTANTE.

O diabo está sempre presente para condená-lo, mesmo quando você comete um pequeno erro. Ele quer que você passe seus dias sentindo-se mal a respeito de si mesmo, sentindo-se como um derrotado. Não caia em sua armadilha. Quando você está sob condenação, é difícil orar ou servir a Deus de alguma forma. A culpa e a condenação o deixam sob tremenda pressão, e há muitos outros efeitos colaterais negativos. Isso pode causar todo o tipo de dano, desde dificuldades para você prosseguir até mesmo trazer uma enfermidade física. Outra coisa que acontece é que colocamos um peso nos outros

Perfeitos... pela Fé

para serem perfeitos se vivermos sob tal peso também. Expectativas irrealistas colocam uma grande pressão nos relacionamentos. Isso arruína muitos casamentos, assim como os outros tipos de relacionamentos, incluindo aqueles entre pais e seus filhos. Em outras palavras, o perfeccionista exige perfeição dos outros, assim como de si mesmo.

Filhos precisam de correção, mas não de rejeição. Eles precisam de aceitação e amor incondicional. Precisamos ser capazes de mostrar misericórdia aos outros e não sermos legalistas, inflexíveis e difíceis de agradar. Mostrar misericórdia requer receber misericórdia! Lembre-se de que se você é excessivamente duro consigo mesmo, isso pode levá-lo a agir da mesma forma com outras pessoas. Jesus disse em Mateus 11.29-30: *Tomem meu jugo sobre vocês e aprendam de mim, pois sou gentil (manso) e humilde (modesto) de coração, e vocês encontrarão descanso (alívio, tranqüilidade, refrigério, restauração e uma quietude abençoada) para suas almas. Pois o meu jugo é benéfico (útil, bom, não é cruel, duro, pesado, desgastante; mas confortável, prazeroso e agradável), e meu fardo é leve e fácil de ser carregado.*

Nunca devemos tentar colocar um jugo sobre nós mesmos ou sobre alguém mais que o próprio Jesus não tenha colocado. O Espírito de Jesus é paciente, longânimo, indulgente e lento em irar-se. Temos Seu Espírito em nós e podemos aprender a nos comportar da forma que Ele o faria nos relacionamentos.

Você quer descobrir se é um cristão maduro? Viver sob condenação não é sinal de maturidade. Maturidade exige que sua atitude seja: "Estou prosseguindo para o alvo da perfeição. Não cheguei lá ainda, não o alcancei, mas me mantenho prosseguindo para o alvo. Tomei uma decisão de que não vou viver sob culpa e condenação. Não vou viver constantemente tentando imaginar o que está errado comigo. Uma coisa faço: esqueço-me daquilo que

A Raiz de Rejeição

está para trás (meus erros) e prossigo para o que está diante de mim (a grande vitória sobre a carne a cada dia)".

Lembre-se de que a condenação é um sentimento que o diabo produz quando cometemos erros e recebemos tal sentimento como verdade se não soubermos que nosso valor e dignidade estão em Cristo, e não em nossas obras. Vivemos pela fé, e não por sentimentos.

O que é perfeição aos olhos de Deus? É um coração perfeito diante dEle. É ser uma pessoa que quer fazer tudo corretamente e está prosseguindo para o alvo; que ama Jesus de todo seu coração.

Li um artigo interessante recentemente que diz que muitas pessoas amam a Jesus, mas elas não estão apaixonadas por Ele. Como alguém age quando está apaixonado? Você pensa na outra pessoa todo o tempo e procura por ela, sempre querendo estar em sua companhia e fazer tudo para agradar-lhe. Eis como devemos ser com relação a Jesus! Precisamos estar apaixonados por Ele porque Ele morreu por nós na cruz. Devemos procurar por Ele como a corça busca pelas correntes das águas. O Salmo 42.1 diz: *Assim como a corça anseia pelas correntes das águas, assim espero e anseio por Ti, oh Deus!*

Deus está buscando pessoas com corações perfeitos, não com um desempenho perfeito. Nós nos preocupamos mais com nossas fraquezas do que Ele. Ele sabe que nossas fraquezas são simplesmente lugares onde Ele pode mostrar-se forte em nós.

Rejeitamos a nós mesmos e aos outros por causa da imperfeição. Outras pessoas nos rejeitam por causa da imperfeição. DEUS NUNCA NOS REJEITA POR CAUSA DE NOSSAS IMPERFEIÇÕES E FRAQUEZAS. CONFIE NELE!

Paulo ensinou aos Gálatas, sobre a liberdade deles em Cristo, que seu valor estava "em Cristo", e não em

Perfeitos... pela Fé

suas próprias obras. Eles aparentemente tinham recebido alguma revelação dessa verdade e estavam começando a caminhar nela e a desfrutá-la. Contudo, o diabo não desistiu deles e nem desistirá de você. Ele tentará, constantemente, levá-lo de volta a estar sob a lei, a lei que obtém perfeição por seguir todas as regras, regulamentos e nunca cometer um erro. Paulo os instruiu não somente a se esforçarem para ser livres, mas também não perderem a libertação e a liberdade já conquistadas.

Eles tinham recebido certa medida de liberdade, e, então, Paulo percebeu que eles estavam mudando e voltando para o lugar de origem. Eles estavam desistindo da sua liberdade e voltando para a escravidão da lei. Ele disse em Gálatas 3.1: *Ó, pobres, insensatos e tolos... gálatas! Quem vos fascinou, encantou ou enfeitiçou...?* Sim, Satanás tentará impedi-lo de ser livre do medo da rejeição e do medo da imperfeição. Seja qual for a liberdade que você obtiver, ele tentará roubá-la novamente. Essa é a razão pela qual vivo repetindo as mesmas coisas neste livro de formas diferentes.

Sei que é necessária muita revelação para trazer completa libertação àqueles que estão em armadilha por causa da "aceitação por meio do desempenho". Levar liberdade a esses que têm vivido a vida tentando evitar a rejeição por meio da perfeição é uma das minhas maiores alegrias. Sofri muito nessa área, por isso tenho prazer em ajudar outros a enxergar a verdade.

Gálatas 3.2-3 diz: *Deixe-me fazer-lhes essa pergunta: vocês receberam o Espírito [Santo] como resultado de obedecer à lei e fazer suas obras, ou foi ao ouvir [a mensagem do evangelho] e crer [nela]? [Foi ao observar a lei de rituais ou pela mensagem da fé?]. São vocês tão tolos, insensatos e loucos? Tendo começado [sua nova vida espiritualmente]*

A Raiz de Rejeição

com o Espírito [Santo], estão vocês agora alcançando a perfeição pela [ao depender da] carne?

Paulo estava ensinando a esses cristãos que eles não mais tinham de viver sob a lei porque eles estavam agora vivendo na dispensação da graça, e assim é conosco. A dispensação da graça é um período de tempo em que as pessoas não têm de viver sob a lei para obter a perfeição. Deus escreve Sua Lei no coração e na mente delas e coloca Seu Espírito nelas. Sua perfeição será encontrada somente em Cristo, quando você coloca sua confiança nEle e passa a depender dEle. O tempo a respeito do qual eles tinham lido enquanto viviam na Antiga Aliança chegara, mas ainda tinham dificuldades em crer nisso e aderir a esse novo tempo. Por quê? Penso que a mensagem do evangelho é tão simples que buscamos algo mais complicado e, assim, como diz um antigo ditado, é bom demais para ser verdade. Portanto, nossa mente encontra dificuldades em compreender e convencer-se desse fato.

Você precisa se encher de uma revelação contínua nessa área, especialmente se é uma pessoa que veio de um passado de rejeição e baixa auto-estima. Enquanto você PERSEVERAR na Palavra de Deus, receberá mais e mais liberdade nessas áreas e aprenderá como manter a liberdade obtida.

Raramente saímos da escravidão para a completa liberdade de forma imediata. Isso acontece em estágios, que 2 Coríntios 3.18 chama de *degraus de glória*. Somos transformados de glória em glória. Não fique desencorajado se seu progresso parece ser lento. **Progresso lento é melhor do que nenhum progresso**, e você, provavelmente, não estará se movendo mais lentamente do que a maioria das pessoas. Mantenha-se buscando a Deus tão freqüentemente quanto precisar e peça por

Perfeitos... pela Fé

maior revelação e maior liberdade nessas áreas. Lembre-se de que Ele nunca se cansa por vê-lo diante do Seu trono pedindo ajuda.

Não poderia dizer-lhe quantas vezes já passei por isso em minha vida! Deus me dava uma revelação sobre isso e me colocava num nível mais alto. Por um longo período o diabo não conseguia lançar culpa ou condenação sobre mim. Então, eu parecia deslizar para os velhos tempos e precisava estudar e buscar a Deus novamente nessas áreas. Eu fiz isso várias vezes. Realmente, levei anos obtendo revelação fresca nessa área para chegar ao lugar de liberdade que desfruto hoje.

Repito: não fique desencorajado se precisar voltar vez após vez para o mesmo nível. O Espírito Santo é paciente e trabalhará com você quanto for necessário para vê-lo ter completa liberdade. Dependa dEle inteiramente para revelar-lhe o que você precisa ver. Não pense que as expectativas de Deus são como as expectativas do homem. Ele sabe que somos cheios de fraquezas. Cerca de três anos atrás, Deus me deu uma revelação maravilhosa sobre as fraquezas e como cada ser humano as possui. Ele revelou-me que eu cometeria alguns erros enquanto estivesse num corpo carnal,!

Todos cometem erros! Uma vez que finalmente compreendi isso, libertei-me de pressionar a mim mesma (e aos outros) para ser perfeita.

A Bíblia repetidamente diz: "Graça e paz vos sejam multiplicadas". Note que a graça vem antes da paz. Eu tive que saber como receber a graça de Deus antes de desfrutar da paz. A graça é a capacidade de Deus que vem a mim para me ajudar a fazer o que não posso fazer sem Ele. Deus nos deixa numa posição onde devemos depender dEle e somente dEle. Em 1 Coríntios 13, está escrito:

A Raiz de Rejeição

Mas, quando o completo e perfeito vier, o que é incompleto e imperfeito se desvanecerá....

Quando Jesus voltar para nos buscar, tudo o que é incompleto e imperfeito se desvanecerá. Até lá, tenho o privilégio de depender dEle, assim como você. O que isso tem a ver com rejeição? Tudo! Pessoas tentam pagar o preço da perfeição para que outros não a rejeitem. Pessoas tentam arduamente ser perfeitas para que Deus não as rejeite, embora Ele tenha nos assegurado muitas vezes em sua Palavra que Ele nos ama e nunca nos rejeitará. São os **sentimentos** que nos enredam muitas vezes. Sentimos! Sentimos! Sentimos! **Sentimos** que devemos comprar a aceitação de Deus. O preço? Nossa própria perfeição!

Você consegue perceber quanto a rejeição e a perfeição estão relacionadas? Lembre-se de que Jesus disse: ... *Eu vim para que eles possam ter e desfrutar da vida, e tê-la em abundância (até a plenitude, até transbordar)* (João 10.10).

Enquanto você lê este livro, creio que seus olhos estão sendo abertos; e você deixará de tentar comprar a proteção contra a rejeição por meio da perfeição! Creio que você estará entrando num novo tempo em sua vida por poder desfrutar a presença de Deus, a si mesmo e a vida mais do que antes. Dependa dEle; não dependa da lei.

Deixe-me mencionar Gálatas 3.10 novamente: *Todo o que depende da Lei [está buscando ser justificado pela obediência à lei de rituais] está sob maldição e condenado à frustração...* Não quero que você tenha de viver mais assim. Deus não quer que você tenha de viver mais sob esse peso, e estou certo de que você não quer viver mais dessa forma. Trabalhar... trabalhar... trabalhar... e sempre sentir-se frustrado porque, embora tente tão arduamente, não atinge o resultado esperado. Seu aperfeiçoamento não virá por meio de esforço próprio! Ele vem da dependência de Deus e de sua fé nEle.

O Medo do Homem

Ele permite que façamos um esforço, mas deve ser o esforço feito enquanto dependemos dEle, e não um esforço sem Ele. Vamos ler novamente o conhecido trecho das Escrituras, João 15.5: *Eu sou a videira, vocês os ramos. Quem vive em mim e Eu nele, dá muito (abundante) fruto. Contudo, sem mim [separados de uma união vital comigo] vocês nada podem fazer.* Não temos de viver sob a maldição da frustração. Cada vez que você falhar e sentir-se desapontado consigo mesmo, olhe para Jesus, Aquele que é Perfeito!

E quanto à rejeição dos outros? Jesus disse: "Não se preocupe com isso. Se eles os rejeitam, estão rejeitando a Mim"! Isso foi o que Ele disse a 70 discípulos quando os enviou. Obviamente, eles estavam preocupados se seriam ou não rejeitados. Jesus disse: "Se eles rejeitarem a vocês, estarão rejeitando a Mim"! Mantenha seus olhos em Jesus! Ele foi rejeitado também! Mas a Bíblia diz: "*A mesma pedra que os edificadores rejeitaram e desprezaram tornou-se a Pedra principal e angular*" (Mateus 21.42). Se você mantiver seus olhos em Jesus, aqueles que o rejeitaram um dia contemplarão enquanto o próprio Deus o levanta para ser semelhante à Pedra Angular! Aqueles que o rejeitaram olharão para você e dirão: "Não posso acreditar nisso"! E você dirá: "Eu também não"! Mas a Bíblia diz: *Para os homens isso é impossível, mas todas as coisas são possíveis para Deus!* (Mateus 19.26).

Costumava me preocupar com a confusão em que me encontrava até o dia em que recebi a revelação de que Deus criara o mundo a partir do nada. Pensei: "Bem, Deus, se o Senhor pode fazer tudo o que nós vemos a partir do nada, certamente pode fazer um pouco mais a partir da confusão que eu sou! Assim, darei ao Senhor a confusão em que estou"! Eu quis dizer: "Se Deus pode fazer as árvores, o Sol, a Lua, as estrelas, o céu, as montanhas e os oceanos a partir do nada, pense no que Ele

A Raiz de Rejeição

poderia fazer com uma confusão já formada"! Eu não sei quanto a você, mas isso me trouxe esperança!

Hebreus 7.25 diz: *Portanto Ele é capaz também de salvar plenamente (completamente, perfeitamente, finalmente, por todo o tempo e por toda a eternidade) aqueles que vêem a Deus através dele, já que Ele está sempre vivendo para fazer petições a Deus, interceder diante dele e intervir por eles.* Uau! Que palavra maravilhosa! Ele é capaz de me salvar plenamente, isto é, completamente. Jesus é capaz de me salvar de tudo aquilo que está errado comigo! Não posso salvar a mim mesma e nem a você! Mas Jesus pode me salvar e pode salvá-lo também!

Deus tem feito algo em minha vida que tem me levado à liberdade. Quando cometo um erro, agora sou capaz de levá-lo ao Senhor imediatamente. Não fico perturbada por aí, sentindo-me culpada a respeito disso durante três horas. Apenas vou imediatamente a Ele e digo: "Jesus, o Senhor é o Perfeito. Seu sangue ainda está no Trono de misericórdia no Santo dos Santos celestial. Seu sangue está clamando, 'Misericórdia, misericórdia, misericórdia para Joyce Meyer'! Justamente agora, Jesus, o Senhor está intercedendo por mim diante do Pai! Eu dependo do Senhor".

Com um exemplo do que quero dizer com isso, suponha que eu tenha ido ao cinema e tentado entrar com um tíquete inválido. O bilheteiro diria: "Algo está errado com seu tíquete. O número é inválido, o bilhete está amassado, enfim, a senhora não pode entrar". Mas se eu conhecesse o gerente do cinema e ele estivesse por perto, ele se aproximaria do bilheteiro e diria: "Ela é minha amiga pessoal, deixe-a entrar". O bilheteiro teria de mudar sua decisão e dizer: "Sem problemas! Pode entrar"!

Bem, serei ousada em dizer: "Sou amiga pessoal de Jesus! E se algo estiver errado com meu tíquete, Ele cuidará disso! Eu dependo dEle".

8

O Medo do Homem

O medo do homem nos leva a buscar agradar aos homens em vez de agradar a Deus. Uma pessoa que possui uma raiz de rejeição pode facilmente cair na armadilha de querer agradar aos homens. Queremos agradar às pessoas porque isso nos impedirá de sermos rejeitados. Será verdade?

Essa é uma área enganosa e perigosa. Primeiramente, se essa é a maneira como você obtém amigos, isso é o que terá de fazer para conservar tais amizades. Um estilo de vida agradando ao homem que nasce por causa do medo do homem e do medo da rejeição é uma escravidão terrível.

Neste capítulo, eu gostaria de ajudá-lo a perceber que ser alguém que agrada aos homens, em vez de agradar a Deus é pecado! Talvez você nunca tenha pensado nisso dessa forma. Romanos 14.23 diz: *Aquilo que não procede da fé é pecado*. Enquanto agradava aos homens, certamente eu estava operando pelo MEDO do homem, e não pela FÉ em Deus.

O que é pecado? Se você estudar a palavra **pecado**, descobrirá que o seu sentido literal é errar o alvo;[6] não atingir a vontade de Deus. É a vontade de Deus que sigamos a direção do Espírito Santo, e não a exigência das pessoas.

---

[6] STRONG. *Greek dictionary of the new testament*, p. 10, # 2.640.

A Raiz de Rejeição

Certamente isso não significa que nunca podemos fazer o que alguém quer de nós, mas significa que a vontade de Deus para nós deve sempre ter o primeiro lugar. Não devemos fazer o que as pessoas querem apenas para impedi-las de ficar aborrecidas conosco ou nos rejeitar, se aquilo que elas quiserem nos desviar de cumprir a vontade de Deus. Devemos sempre escolher agradar a Deus, e não aos homens.

Tenho passado um bom tempo, por intermédio deste livro, tentando ajudá-lo a sair da condenação, se isso tem sido um problema em sua vida. Certamente não pretendo abrir uma porta agora para o inimigo. Sei que, enquanto escrevo estas linhas, estou me dirigindo a algumas pessoas que caíram na armadilha de buscar agradar aos homens. Quando digo que isso é pecado, estou tentando abrir-lhe os olhos para a seriedade do assunto. Certamente não estou tentando colocá-lo sob condenação. Devemos aprender a diferença entre convicção e condenação. Deus me usa freqüentemente para trazer convicção. Ele usa Sua Palavra e Seu Espírito para nos levar a um lugar mais alto.

Estou escrevendo isso sob influência do Espírito Santo, e Ele convence as pessoas do pecado, mas nunca as condena. Deus nos leva à convicção de que podemos ver nossos erros, admiti-los, lamentá-los, arrepender-nos e receber o poder do Espírito Santo. Podemos, então, permitir que Ele nos capacite a caminhar livres daquilo que estava sendo um pecado em nossa vida.

De acordo com Hebreus 4.15, Jesus, certamente, compreende nossas fraquezas e nossas enfermidades. Mas Ele não quer que seu povo use Sua natureza compreensiva como uma desculpa para permanecer no pecado que está produzindo escravidão na vida de cada um.

O Medo do Homem

Tornar-se livre do medo do homem e de um espírito que busca agradar aos homens não é fácil. Requer a revelação do que isso realmente significa de quão destruidor pode ser. Requer séria determinação para tornar-se livre. Espíritos controladores e manipuladores estão envolvidos, e eles não desistem do seu terreno facilmente.

Por anos, eu me desculpava e fazia pouco ou nenhum progresso porque dizia a mim mesma: "Simplesmente não posso fazer isso. Fui abusada, e simplesmente tenho esses medos e nada posso fazer a respeito". Essas são algumas das desculpas que mantêm muitas pessoas na escravidão. Tais desculpas podem ser um fato, mas a verdade da Palavra de Deus tem poder suficiente para superar os fatos.

Sim, Jesus compreende, mas Ele não quer que você permaneça em escravidão pelo medo do homem. Creio que Deus tem feito você ler este livro porque Ele quer fazê-lo livre nessa área e ajudá-lo a reconhecer esses espíritos quando atacarem sua vida. Creio que seu amor por Deus, seu desejo de estar na vontade dEle e sua recusa a permitir que o inimigo invada sua vida por intermédio de espíritos manipuladores e controladores podem ajudá-lo a combater de forma ousada o pecado de agradar aos homens.

Deus nos dá livre-arbítrio e vontade livre. Ele quer que O escolhamos, bem como Seus caminhos, mas não nos força a fazê-lo. Satanás, de outro lado, não tem problemas em usar força, manipulação, controle ou qualquer outra coisa que puder para nos impedir de sermos livres. O diabo usa a raiz de rejeição que está em muitas pessoas. O medo da rejeição e o medo do homem são realmente a mesma coisa. O medo do homem, o medo de perdermos a aprovação, o medo de ficarmos sozinhos, o medo de sermos criticados ou debochados, o medo do que as pessoas dirão ou pensarão de nós, e muitos outros medos nos impedem de seguir a direção do Espírito Santo. O diabo sabe que Deus tem um bom plano para sua vida, e seu alvo é impedir você de conhecer esse plano.

Se você quiser ser livre desses espíritos que estou revelando, deve desejar confrontá-los. Você nunca ficará livre deles ao correr, evitá-los ou adiar o assunto. Devemos enfrentar as questões e saber que Jesus está sempre conosco para nos fortalecer e ajudar. A única forma para chegar do outro lado de um problema e eliminar o seu poder sobre você é enfrentá-lo e permitir que o Espírito Santo o oriente sobre como passar por isso.

Eu nunca teria uma vitória pessoal se sempre obtivesse a libertação por meio de milagres. Deus pode nos dar algumas vitórias dessa forma, mas nem todas elas funcionarão assim. Ele quer nos fortalecer para que enfrentemos o inimigo (na força do Seu poder) e, assim, possamos conquistar uma vitória pessoal.

Não Temas!

Sabemos que a Bíblia diz: *Não temas...*, mas, por alguma razão, temos a idéia de que Deus está dizendo: "Não sinta medo"! Houve um tempo em minha vida em que pensava que **sentir** medo indicava que eu era uma covarde. Quando sentia medo, sentia-me mal comigo mesma. Muitas vezes, quando estava pronta para ir adiante em alguma área, subitamente me sentia assustada. Eu orava pelo dia em que não sentiria mais medo! De fato, eu ia até outras pessoas e pedia-lhes que orassem para que eu nunca mais sentisse medo! Mas Deus me deu uma revelação transformadora sobre o medo alguns anos atrás, e ocasionalmente eu mesma tenho que me lembrar disso.

O Medo do Homem

Por intermédio da Bíblia, Deus diz: *Não temas... não temas... não temas!* Ele está nos alertando sobre o espírito de medo. Ele está dizendo: "Um espírito de medo pode atacar você e impedi-lo de seguir adiante".

Está registrado no primeiro capítulo de Josué que Deus lhe disse que ele deveria terminar a tarefa que o Senhor dera a Moisés: *Seja forte, vigoroso e bastante corajoso. Não temas, nem te espantes, pois o Senhor, teu Deus, é com você por onde quer que fores* (Josué 1.9).

Se o medo não estivesse prestes a atacar Josué, por que Deus o alertaria? Deus estava realmente dizendo a Josué: "Estou enviando-o para realizar uma tarefa. Mas, Josué, tão certo como estou lhe falando, o medo será o inimigo que tentará impedi-lo"! Estava Deus proibindo Josué de **sentir** medo? Não!

A palavra *medo* significa retirar-se ou fugir de algo.[7] Assim, se nós traduzirmos de uma forma um pouco diferente, veremos que Deus estava dizendo: "Josué, quando você **sentir** medo, não fuja"!

Você está vendo? Deus está dizendo: "Quando **sentir** medo, permaneça em sua posição, sabendo que estou com você. Mantenha-se Me obedecendo e fazendo o que Eu lhe disse para fazer"! Isso é muito diferente de Deus dizer: "Você não pode **sentir** medo, e, se o fizer, será um grande covarde"!

Quais são algumas das reações físicas produzidas pelo medo? Tremedeira, palpitações de coração, boca seca e transpiração excessiva. Não encontro lugar algum na Bíblia em que Deus diga: "Joyce Meyer, não transpire, não trema, não estremeça! Seu coração não deve palpitar quando você estiver em situações novas ou difíceis"!

---

[7] VINE, v. 2, p. 84.

A Raiz de Rejeição

Você já percebeu que um espírito de medo tenta mantê-lo em escravidão quando você encontra algo novo? Quando você tenta obter liberdade em sua vida, um espírito de medo tentará mantê-lo na escravidão. Quando chega o dia de Deus para que você seja livre, é tempo de enfrentar a pessoa ou a situação que o amedronta. É tempo de você caminhar até essa pessoa e conversar com ela, mesmo assustado. É tempo de começar a crer de forma diferente a respeito de si mesmo. O medo tentará mantê-lo na escravidão. A única forma de chegar do outro lado é fincar os pés, manter sua face firme e dizer: "Eu sei que ouvi a Deus, e vou seguir adiante"!

Como As Pessoas Pensam e Reagem?

Quando conversamos sobre o medo do homem, o que realmente tememos? Tememos o que as outras pessoas vão pensar! Pense sobre isto: **o que os pensamentos de outra pessoa podem nos fazer?** Contudo, quantas vezes nos dobramos diante do inimigo simplesmente com base naquilo que alguém está pensando. A maior parte do tempo nem realmente sabemos o que os outros pensam, mas a raiz de rejeição sempre fará você pensar o pior.

Permitimos que o diabo diga: "O que eles pensarão se você fizer isso? Se você se levantar, se tentar fazer isso, se falhar, o que todos vão pensar? Eles pensarão que você não ouviu a Deus! Eles pensarão que você é um fracassado. Eles pensarão isso... eles pensarão aquilo... eles pensarão algo mais". Por que devemos deixar que os pensamentos dos outros governem nossa vida? Se eles têm um problema, pensarão o que quiserem a nosso respeito, não importa o que façamos!

O medo do homem é do que os outros pensarão, mas é também o que os outros dirão dele e farão a respeito

O Medo do Homem

disso. Penso que também tememos o que as pessoas não dirão ou farão! Se eu fizer algo e você não gostar, então me rejeitará, e não mais terei seu relacionamento e sua amizade. Você não conversará mais comigo ou prestará atenção em mim. Então, terei de lidar com a dor da rejeição.

Mostrarei a você, por meio de alguns versículos da Bíblia, que Satanás usa o medo da rejeição para manter as pessoas fora da vontade de Deus. Observe o que Paulo disse em Gálatas 1.10: *Porventura, procuro eu, agora, o favor dos homens ou o de Deus? Ou procuro agradar a homens? Se eu buscasse popularidade entre os homens, não seria servo de Cristo (o Messias).*

Nós, realmente, gostaríamos de ser populares, não é? Nunca fui muito popular na escola, mas queria que todos os meus filhos fossem populares. Isso também não funcionou! Algumas vezes, queremos coisas por motivações erradas. Eu queria que minhas filhas fossem tratadas como rainhas e animadoras de torcida, e meus filhos fossem tratados como "príncipes encantados" e craques de futebol. Eu me angustiava porque eles (e elas) realmente não tinham muitos amigos ou namorados. Mas, um dia, o Senhor me mostrou: "Você quer isso para eles porque você nunca o teve. Estou guardando-os de problemas porque tenho um plano para a vida deles"!

Algumas vezes, quando os jovens são populares, a pressão dos colegas para manterem todos esses relacionamentos termina levando-os à direção errada. Se Deus tivesse respondido às minhas orações pelos meus filhos para que fossem os estudantes mais populares da escola, as coisas poderiam ter terminado mal. Mas, agora, todos os meus filhos estão servindo ao Senhor e trabalham neste ministério. Todos são casados com cristãos. O que teria acontecido se Deus respondesse às minhas orações para que eles se tornassem populares? Vamos

101

A Raiz de Rejeição

desejar a popularidade com Deus acima da popularidade com as pessoas.

Não fique tão triste se você não tem 25 pessoas tentando ligar para seu número telefônico ou batendo à sua porta o tempo todo. Busque a Deus e deixe que Ele traga as pessoas certas para sua vida. Uma vez que você entrou em um relacionamento, deverá mantê-lo, e isso faz com que pessoas "populares" sofram muita pressão por tantos relacionamentos.

Anos atrás, antes de estar no ministério, eu pertencia a uma igreja. Havia um grupo de pessoas do qual eu queria participar. Eu me esforçava e conspirava... armava situações e manipulava... fazia favores e impressionava as pessoas... até entrar naquele grupo. Mas descobri que quando uma pessoa entra em relacionamentos por esses métodos, a única forma de permanecer ali é deixar que essas pessoas o controlem!

Sabe o que aconteceu? Quando recebi o batismo no Espírito Santo e Deus me chamou para pregar, quando comecei a crer nas coisas em que creio hoje e a prosseguir, esse grupo disse: "Se você vai crer nas coisas que você diz que crê, não queremos mais nos relacionar com você! Escolha: ou nós, ou isso"! Essas pessoas eram cristãs! Não pense que o inimigo não usará seus melhores amigos para tentar desviá-lo da vontade de Deus! Eis por que você precisa ter convicção em seu coração do que Deus está lhe dizendo.

A Bíblia diz que Jesus esvaziou-se de sua reputação, humilhou-se e, então, o poder de Deus lhe foi concedido (veja Filipenses 2.7-11). Se estivermos preocupados com nossa reputação, poderemos realmente prejudicá-la. Se o alvo é manter nossa boa reputação, se ainda tentamos ser populares, essa é uma porta aberta para o diabo. Tudo

O Medo do Homem

o que ele tem de fazer é conseguir uma pequena rejeição, e nós seremos despedaçados!

Prosseguir não É Conquistar Popularidade

Você já percebeu o que Paulo estava dizendo em Gálatas 1.10? *Se eu quisesse agradar às pessoas, eu não estaria servindo a Deus!* Você sabe quantas pessoas existem que não estão fazendo o que Deus lhes disse porque sabem que perderiam sua popularidade?

Cada uma das vezes que Deus estava pronto a levar esse ministério a um novo nível, Satanás lançava um grande ataque de rejeição contra mim. Cada uma das vezes o ataque vinha por meio de pessoas mais próximas naquele momento. Oh, não pense que o inimigo escolhe alguém com quem você não se importa! As pessoas que estão próximas de você o deixarão saber: "Se você não fizer isso como fazemos, então olharemos para você como alguém estranho ou anormal"!

Pessoas que têm raiz de rejeição na sua vida dobram-se a esse tipo de pressão e nem mesmo percebem o que estão fazendo. Tudo o que mantiver as pessoas felizes, tudo o que mantiver as pessoas gostando de nós, sorrindo para nós e dizendo "Boa garota! Bom rapaz"! é o que as pessoas com raiz de rejeição farão.

Não estou ensinando rebelião. Não estou ensinando que você deveria fazer sua própria vontade todo o tempo. Não é isso! Se você tem alguém exercendo autoridade apropriada sobre sua vida, ouça seus conselhos. O que estou falando é sobre pessoas que interferem em sua vida sem ter direito a isso. Algumas vezes, mesmo aquelas que têm autoridade sobre você podem agir com manipulação e controle. Mas, se elas estiverem exercendo autoridade legítima sobre sua vida, elas o ajudarão a descobrir a perfeita vontade de Deus para você. Elas não usarão a autoridade para sua satisfação própria.

Agora observe o versículo de João 12.42: *Contudo [a despeito de tudo isso], muitas das autoridades (os líderes e os nobres) creram e confiaram nele. Mas por causa dos fariseus, eles não o confessavam, por medo de [se eles O reconhecessem] serem expulsos da sinagoga.*

Fui expulsa da igreja que freqüentava quando recebi o batismo no Espírito Santo, e Deus me chamou para pregar. A liderança me pediu para sair. Foi difícil para mim, porque toda minha vida estava envolvida com aquela igreja. E, além disso, eu havia me esforçado bastante para me envolver com aquele grupo de pessoas! Como me esforcei para conseguir um cargo de presbítero para meu marido! Eu queria que meu marido fosse alguém importante!

Pessoas que não baseiam sua dignidade em Cristo estão constantemente procurando algo que as faça se sentir valorizadas. Elas devem ter os amigos certos. Seus amigos devem ocupar posições de autoridade para fazer com que elas se sintam importantes. Assim, elas conspiram, manipulam e fazem todo o tipo de coisas para se colocarem numa boa posição.

Mas se você pensa que é difícil chegar a tal posição, espere até ver como é difícil manter-se nela!

O versículo 43 diz: *Pois eles amaram a aprovação e o louvor e a glória que vem dos homens [ao invés de], mais do que a glória que vem de Deus [Eles valorizaram mais seu crédito diante de homens do que seu crédito diante de Deus].* Esse não é um versículo impressionante?

Decida Agradar a Deus!

A todo custo devemos decidir agradar a Deus, e não aos homens. Mesmo que isso custe nossa reputação, nossos amigos, devemos decidir agradar a Deus. E se isso nos custar nossos amigos, Deus os substituirá. Dave e eu temos alguns amigos muito preciosos agora! Essas são pessoas que trabalham para nós, nos amam e sustentam nossas mãos em oração. Eles oram e intercedem por nós quando estamos viajando para pregar. Sabemos agora o que são amigos verdadeiros. Amigos não são pessoas que vêm a você e dizem: "Se você não fizer isso do meu jeito, nossa amizade se acabará"! Isso vem de alguém que quer controlá-lo e manipulá-lo!

Aqueles que agora tenho como amigos estão me ajudando a ser tudo o que posso ser em Cristo. Eles são verdadeiros amigos, pessoas que não têm inveja de mim. Eles me ajudam a prosseguir, não tentam me fazer retroceder para que possam ganhar a dianteira.

Algumas pessoas fazem um favor a você quando lhe telefonam e dizem: "Será melhor fazer o que quero ou não fale mais comigo"! Pelo menos você já sabe com quem está lidando. Mas muitas vezes o controle está por trás dos bastidores; talvez seja algo sutil como um olhar de desaprovação. Esse olhar de desaprovação pode nos levar a mudar completamente nossos pensamentos e seguir em outra direção.

Estou trabalhando com Deus para identificar essas coisas em minha própria vida porque quero ser livre! Quero dizer novamente: não sou uma pessoa rebelde! Submeto-me à autoridade de meu marido e estou sob autoridade do meu pastor local. Se ele disser a mim e a Dave "Eu penso que vocês dois estão errando naquilo

A Raiz de Rejeição

que planejam fazer", voltaremos a orar e a buscar a Deus pelo assunto.

Deixe-me repetir: você precisa estar sob a autoridade correta e temente a Deus. Não estou ensinando rebelião. Algumas vezes, é difícil ensinar o assunto sobre controle, manipulação e o medo do homem, porque algumas pessoas entendem de forma errada.

Estou falando sobre conhecer o que Deus está dizendo e desejar seguir adiante, custe o que custar, para ver a plenitude da vontade de Deus cumprida em sua vida. Posso garantir-lhe que existem mais pessoas que estão fora da vontade de Deus por causa do medo do homem do que pessoas que prosseguem, apesar do ataque do inimigo, e estão vivendo a plena vontade de Deus.

O povo de Deus precisa, desesperadamente, ser obediente. Paulo disse que se você agradar ao homem não servirá a Jesus Cristo. Você não será seu servo (veja Gálatas 1.10). Um bom servo é alguém que diz: "Sim, Jesus, estou ligado ao Senhor por minha própria escolha. Quero fazer tudo o que Tu quiseres que eu faça, não importa o custo. Sou seu! Faz segundo a Tua vontade em minha vida"!

Quando tomei a decisão de ser uma serva para Jesus, perdi meus amigos. Alguns dos membros da minha família ficaram furiosos comigo. Senti-me ignorada por longo tempo. Mas estou tão feliz agora que mal posso acreditar.

Antes de receber o batismo no Espírito Santo, eu era miserável! Eu me esforçava arduamente para ter o grupo certo de amigos e me assegurar de que Dave seria um presbítero na igreja. Não havia festa que os Meyers não fossem convidados! E se alguém tentasse dar uma festa e não nos convidasse, eu me esforçaria até ter certeza de que receberíamos o convite!

O Medo do Homem

Você se lembra de ter se sentido ofendido, machucado e aborrecido porque alguém fez algo e você não foi convidado? Isso o fez sentir-se rejeitado e sem valor?

Você pode se livrar desses sentimentos! Confie em Deus, pois, se for para você estar ali, Ele conseguirá um convite. Caso contrário, seja feliz nEle.

9
Manipulação e Controle

A definição para a palavra *manipulação* no dicionário *Webster* é: manobrar ou influenciar de forma astuta ou errônea; controlar ou conduzir de forma hábil para um proveito pessoal.

Controlar alguém é pecado. Esse é um tipo de feitiçaria! Não estou dizendo que se você controla alguém é um feiticeiro ou está possesso. Mas o controle é um princípio da feitiçaria. Satanás opera por meio da manipulação e do controle.

Deus quer orientá-lo e guiá-lo. Ele o controlará somente se você continuamente lhe der permissão para fazê-lo. Cada vez que Deus me diz "Joyce, quero que você faça isso", digo: "Senhor, concordo. O que o Senhor quiser, Deus, é isso que quero. Entrego ao Senhor essa área. Quero se o Senhor o quiser". Mas Deus nunca o forçará a fazer algo sem que você lhe dê seu consentimento.

De outro lado, o diabo não se importa com a forma como controlará sua vida. Tudo o que ele quer é encontrar uma maneira. Ele controlará você por meio dos poderes demoníacos que vêm contra sua mente. Ele o fará por meio de outras pessoas, talvez mesmo daqueles que o amam e nem mesmo percebem que estão sendo usados. Mas, porque você não lhes resiste, simplesmente continuam a controlá-lo! A pessoa que exerce controle simplesmente pensa que, como não há resistência de sua parte, você deseja que as coisas continuem assim!

A Raiz de Rejeição

Se você deixar um relacionamento assim seguir por muito tempo, a pessoa que exerce controle se acostumará fazê-lo. Porque o relacionamento foi construído dessa forma, quando você decide sair disso, haverá guerra! Você estabeleceu algo do qual o controlador não quer abrir mão, por isso terá de permanecer firme. Se você esteve sob a escravidão do controle de alguém por longo tempo e agora quer ganhar sua liberdade, é melhor estar pronto para resistir, porque o diabo terá uma crise!

Observe a definição de *controle*: significa dirigir, influenciar, restringir, regular, refrear, exercer autoridade ou tentar impedir. Também significa fiscalizar com duplo registro. Quando leio isso, percebo algo surpreendente! Checar com duplo registro significa que haverá dois controles paralelos!

Por exemplo, estou indo às compras com uma amiga e lhe digo: "Bem, vou comprar algumas coisas hoje e quero controlar o meu dinheiro. Assim, vou anotar tudo o que gastar e quero que você faça uma lista paralela. Então compararemos nossos registros no final das compras para nos certificarmos de que fiz uma anotação correta dos meus gastos". Minha amiga estaria mantendo um registro paralelo. Se eu conferisse no final das compras para verificar se ela também registrara certo valor e ela não o tivesse feito, ou se ela tivesse anotado algo que não anotei, eu saberia que algo estava errado.

Uma das minhas filhas freqüentemente viaja com Dave e comigo quando ministramos, por isso ela está comigo várias vezes quando faço compras. Pelo fato de vestir o mesmo tamanho de roupas que eu, ela ganha muitas das minhas roupas. Assim, ela tem uma opinião muito firme sobre aquilo que compro.

Algumas vezes, quando estamos fazendo compras e tento comprar algo e peço a opinião dela, ela diz: "Oh,

Manipulação e Controle

não! Você não vai comprar isso, mãe"! Anteriormente, eu colocaria o cabide de volta na prateleira e procuraria outra coisa. Então, eu lhe mostraria a roupa seguinte e ela diria: "Oh, não! Não gosto disso"! E, novamente, eu colocaria o cabide de volta no lugar.

Mas quando comecei a ensinar essa mensagem sobre rejeição, Deus me mostrou o que realmente estava acontecendo. Por causa da forma como fui criada, sendo abusada por meu pai que tinha uma personalidade forte, dominadora, controladora e manipuladora, naturalmente eu tinha uma forte raiz de rejeição em minha vida. Se meu pai quisesse comer frango, todos comeriam frango. Se meu pai não quisesse comer legumes, ninguém comeria legumes. Ele controlava tudo o que acontecia na casa. Ele era o tipo de pessoa que se irava e explodia com freqüência. Assim, gastei a maior parte da minha vida apenas tentando mantê-lo "feliz", evitando enfrentar o medo, a rejeição e o descontentamento.

Acabamos por viver nossa vida dessa forma sem mesmo perceber o que estamos fazendo. E não precisa de o diabo nos controlar totalmente porque ele pode facilmente usar outra pessoa para fazê-lo por ele, uma pessoa que nem mesmo tem qualquer mau intento na mente. Minha filha não estava tentando me controlar, ela estava dando sua opinião. Eu estava deixando a opinião dela me controlar por causa da raiz de rejeição.

Haverá momentos em que o diabo tentará controlar você por intermédio de uma pessoa realmente controladora, o que é outro problema. Não direi que o diabo não criará situações para colocar essas pessoas em sua vida, porque ele certamente o fará!

Muitas vezes, aqueles que têm um terrível medo de rejeição se casam com alguém com uma vontade forte.

A Raiz de Rejeição

Creio que Deus os coloca juntos. Sabe por quê? Porque você nunca vencerá o medo do homem se não for forçado a confrontá-lo e a enfrentá-lo. Se você sempre procurar por alguém que não o rejeite e sempre disser "Não me faça isso! Não me faça sofrer", você realmente estará dizendo: "Não quero confrontar o problema. Não quero lidar mais com isso, apenas estarei junto de pessoas mansas, doces, ternas, amorosas, que nunca me darão problemas"! Mas isso não funcionará! Cedo ou tarde, para vencer o medo, você terá de resistir a alguém. Talvez seja um chefe, um amigo, um cônjuge ou um filho. Muitas pessoas que têm uma raiz de rejeição têm filhos com vontade determinada! E, a menos que ela lide com seus próprios medos, seus filhos a controlarão!

Eu tinha um medo terrível de desagradar aos outros e fazer as pessoas ficarem iradas, por isso sempre tentava manter todos "satisfeitos". Eu simplesmente queria manter todos felizes. Não queria que alguém se desapontasse comigo. Eu tentava arduamente ser perfeita e viver minha vida de tal forma que ninguém encontrasse algo errado em mim, pois, assim, não me rejeitariam; eu não teria experimentar essa dor.

Receber esse ensino de Deus realmente abriu meus olhos. Quando percebi a verdade, comecei a levar esse conhecimento em minhas compras com minha filha. Percebi que ela realmente não se importava com o que eu comprava. Ela é uma filha muito boa e submissa, e tudo que eu deveria fazer era dizer-lhe: "Bem, gostei, por isso vou comprá-lo"! E ela teria dito: "Está bem"! E tudo terminaria assim. Ela estava dando a opinião dela, mas o próprio medo de não agradar às pessoas me levava a ser conduzida pela opinião delas, em vez de pelo meu próprio desejo.

Outro lado dessa questão é que algumas vezes, quando faço compras com ela, tenho dúvidas se algo ficou

Manipulação e Controle

bem em mim. Assim, pergunto: "O que você acha"? Algumas vezes ela diz: "Não, realmente não gosto". Isso serve como uma confirmação de que eu realmente não devo comprar aquilo. Portanto, há necessidade de equilíbrio. Você não deve ficar irado com isso e começar a dizer a todos ao seu redor: "Não tente me dizer o que devo fazer! Vou fazer o que quiser, e isso não é de sua conta"!

Mantendo o Equilíbrio Necessário

Tenho aprendido que devemos ter equilíbrio. Sem ele, ouvimos uma mensagem de que gostamos e nos inclinamos para esse lado e, então, ouvimos outra mensagem e nos inclinamos para o outro lado. O que estamos fazendo é nos movendo, sem equilíbrio, de uma direção a outra! Nunca buscamos o equilíbrio, e creio profundamente que devemos manter o equilíbrio necessário em nossa vida. Eis por que enfatizo que não estou ensinando rebelião. Não estou dizendo que nunca devemos ouvir a opinião dos outros ou que nunca devemos tentar agradar às pessoas. Certamente, queremos manter as pessoas felizes, se pudermos.

Algumas vezes, faço coisas para ver meu marido feliz porque eu o amo. Mas, se eu fizesse essas coisas por causa de manipulação ou controle, odiando o que estava fazendo, sentindo que aquilo não era a vontade de Deus ou interiormente ressentida, eu estaria desobedecendo a Deus. Se eu tentasse agradar a Dave, mas uma guerra secreta estivesse explodindo dentro de mim, isso causaria grandes problemas em minha vida e em meu casamento.

Por muito tempo em minha vida permiti que outros mantivessem um registro paralelo para mim. Em outras palavras, eu começava a fazer algo e, imediatamente, procurava um olhar de aprovação. Estava secretamente dizendo: "Está bem para você"? Não é errado esperar aprovação de alguém ou obter um olhar de aprovação ocasionalmente. Mas é errado quando você começa a desmoronar se não obtiver tal coisa.

Desafio-o a começar a resistir a algumas das coisas às quais você tem se dobrado, porque dobrar-se o faz infeliz, a menos que seja dobrar-se diante de Deus. Romanos 8.2 diz: *Pois a lei do Espírito da vida [que está] em Cristo Jesus [a lei do nosso novo ser]me libertou da lei do pecado e da morte.* Estive meditando sobre esse versículo por muitos anos antes de compreendê-lo. Você sabe o que diz Romanos 8.2? "Se eu deixar sua opinião tornar-se lei para mim, então estarei vivendo debaixo da lei do pecado e da morte". Isso é pecado para mim porque não estou seguindo o Espírito. Pecado produz morte em mim. Não estou dizendo que vou cair prostrada e morrer, mas sofrerei as coisas relacionadas com a morte. Isso matará minha alegria. *O ladrão vem somente para roubar e matar e destruir. Mas Jesus disse: Eu vim para que [vocês] tenham e desfrutem da vida...* (João 10.10).

A lei de espírito da vida em Cristo Jesus me libertou da lei do pecado e da morte! Agora, sou livre para seguir a direção do Espírito Santo.

Ajudando Alguém com Raiz de Rejeição

Se você é casado ou conhece alguém, tem um filho ou trabalha com alguém que tem raiz de rejeição, como pode ajudá-lo a encontrar a liberdade? Quando você ama a Deus, quer ajudar outros a sair da escravidão da raiz de rejeição. O que você pode fazer?

Certamente você não pode gastar toda sua vida apenas andando nas pontas dos pés para não machucá-los,

Manipulação e Controle

porque isso o colocaria em escravidão. Mas você pode exortá-los, edificá-los e encorajá-los. Quando eles fizerem algo bom, não ignore isso. Elogie-os, porque eles precisam de bastante encorajamento. Se fazem algo quase totalmente certo (com algum pequeno erro), não destaque o que fizeram de errado e nem ignore o que fizeram corretamente. À medida que você continua a encorajá-los, descobrirá que após um tempo eles não precisarão disso tão freqüentemente. Se você tem autoridade sobre essa pessoa e tem de corrigi-la, use Gálatas 6.1 como orientação:

> *Irmãos, se alguém é surpreendido numa conduta incorreta ou pecado de algum tipo, vocês que são espirituais [que são responsivos e controlados pelo Espírito] devem corrigi-lo, restaurá-lo e reintegrá-lo, sem qualquer senso de superioridade e com toda a mansidão, permanecendo atentos a si mesmos, para que vocês também não sejam tentados.*

Não corrija com ar de superioridade, faça-o com gentileza e humildade. Porque Deus tem me dado uma personalidade forte, me expresso de maneira bastante direta. Mas tenho aprendido a ser dócil, gentil e amável com pessoas que se assustam com meu tipo de personalidade. Porque estou numa posição de autoridade na maior parte do tempo, algumas vezes tenho de corrigir pessoas. Quando o faço, geralmente lhes conto sobre algo que fiz de errado e como pude superar isso. Todos nós fazemos coisas erradas, e essa pessoa a quem dirijo precisa saber que não é um caso isolado. Eu lhe digo: "Você é grande, você é uma pessoa maravilhosa. Não quero isso a machuque e a faça pensar que você não é boa".

Veja, não podemos deixar de corrigir as pessoas simplesmente porque elas têm uma raiz de rejeição. Mas podemos abordá-las com amor e atentarmos para nunca

A Raiz de Rejeição

nos aproveitarmos delas por causa de suas fraquezas. Manter o equilíbrio é muito importante, e Deus tem todas as respostas.

Outra coisa que você pode fazer para essas pessoas com raiz de rejeição é ajudá-las a tomar suas próprias decisões e respeitar as opiniões delas, mesmo que não sejam como as suas. Você pode ajudá-las a ouvir a Deus.

A pessoa com esse tipo de problema tende a vir a você cada vez que estiver por perto e perguntar: "O que acha que devo fazer"? Diga-lhe: "Bem, penso que você deve ouvir a Deus; creio que você pode ouvi-Lo"!

Se ela perguntar novamente o que você pensa que deveria fazer, então diga: "Bem, você me dirá o que pensa que Deus está dizendo, e então lhe direi o que penso"! Se ela disser "Bem, eu penso que Deus está dizendo isso... e isso... e isso", na maior parte das vezes esse será o caminho certo para elas. Pode não ser exatamente o que você faria, mas você pode encorajá-la e dizer: "Bem, provavelmente, eu não faria dessa forma, mas penso que é bom para você! Você é uma pessoa que pode ouvir a Deus e ser dirigida por Ele"!

Veja, há muitas formas de ajudar a pessoa que tem uma raiz de rejeição. Deus o guiará pelo Seu Espírito se seu desejo é ajudar.

Resistindo à Tentação de Ser um Controlador

Não poderia terminar este livro sem dizer algumas coisas para aqueles que podem estar tentando controlar alguém. Por que as pessoas tentam controlar as outras? Medo de ser ferido é uma razão. Fui ferida tantas vezes em minha vida que imaginava que se estivesse

Identificando a Raiz de Rejeição

no controle de tudo o que acontecesse ninguém poderia me machucar. Realmente operei em ambos os lados desse problema. Por causa do medo da rejeição, freqüentemente permitia que outros me controlassem. E por causa do medo de ser ferida eu tentava controlá-los. Vivia atrapalhada e confusa, e somente a graça e a misericórdia de Deus e o poder e instrução da Sua Palavra puderam me libertar.

É fácil desejar ser livre de permitir que outros nos controlem. Mas é um pouco mais difícil desistir de controlar outras pessoas se você caiu nessa armadilha. Pessoas que são controladoras e manipuladoras são problemáticas e inseguras. Elas podem parecer ser fortes, mas realmente vivem com grande temor. Pessoas que são realmente fortes são capazes de deixar outros serem livres. Creio que muitos controladores são tão inseguros sobre si mesmos e suas decisões que se sentem melhores quando conseguem que todos façam a mesma coisa que eles fazem.

Além de o medo e de a insegurança serem a raiz do controle, também devemos saber que diabo busca trabalhar por meio de pessoas com personalidade forte. Pode não haver nada errado com essas pessoas, exceto que elas nasceram para liderar e ter personalidade forte. Elas são dotadas para manter as coisas funcionando na direção certa, motivar e levar as pessoas a prosseguir. Isso é ótimo, exceto que Satanás se deleita em nos enganar e tomar as maiores habilidades que Deus nos dá para tentar usá-las contra nós e contra outras pessoas. Ele tenta nos tirar do equilíbrio.

Não somente tive problemas por ser abusada, mas também por ter uma personalidade muito forte. Deus me ungiu para a liderança, contudo tive de aprender a diferença entre liderança, controle e manipulação. Tive de aprender a guiar as pessoas ao lugar onde Deus queria que fossem e onde elas desejassem ir, e não onde "eu"

A Raiz de Rejeição

queria que fossem ou fizessem aquilo que "eu" queria que fizessem. A maior parte dos meus problemas vinha do medo e da insegurança em minha vida por causa do abuso e da rejeição, mas parte disso também vinha da minha própria personalidade.

Controlar pessoas e tudo mais pode apenas ser um hábito ruim que precisa ser confrontado e quebrado. Seja qual for o caso, esse hábito precisa ser tratado. NÃO É A VONTADE DE DEUS QUE AS PESSOAS SE CONTROLEM! Tive de aprender que isso era pecado e que de forma alguma agradava a Deus que eu controlasse e manipulasse os outros ou os coagisse a fazer as coisas do meu modo.

Se você tem caído em armadilha por permitir que esses espíritos controladores operem na sua vida, encorajo-o a começar imediatamente a libertar as pessoas e a resistir à tentação que esses espíritos trazem.

Quando uma pessoa foi controlada ou é uma controladora, os espíritos envolvidos entrarão em batalha; mas seu desejo para operar na santidade e nos caminhos de Deus prevalecerá. Resista ao diabo com a Palavra, o Nome e o Sangue de Jesus. A Palavra de Deus tem poder em si mesma, e é uma espada de dois gumes com a qual combatemos o inimigo. O Nome de Jesus tem todo o poder investido nEle. No Nome dEle, oramos e fazemos nossa petição a Deus, o Pai, e firmemente resistimos ao inimigo. Há poder no sangue do Cordeiro. Pela fé, podemos aplicá-lo em nosso favor e nas situações que enfrentamos, e experimentaremos libertação. Apocalipse 12.11 diz: *... e eles o venceram (derrotaram) por meio do sangue do Cordeiro e através do pronunciamento do seu testemunho...*

Você não foi criado para ser controlado ou ser um controlador. Ambos trazem miséria. Não somente uma pessoa está em escravidão quando permite que outros a

Identificando a Raiz de Rejeição

controlem, mas também quando necessita estar no controle. Controlar a vida de outras pessoas é um trabalho árduo. Sinto que tenho muito a fazer para cooperar com Deus com relação ao meu envolvimento com outras pessoas. Não quero interferir na vida de ninguém, não quero me intrometer nas coisas dos outros. Tenho o suficiente para me preocupar comigo mesma.

Se algumas dessas áreas estão fora de equilíbrio em sua vida, precisam ser reconciliadas. Isso significa trazê-las de volta ao lugar em que deveriam estar antes que o engano de Satanás entrasse em cena. Um grande versículo das Escrituras que gostaria de deixar com você é Colossenses 1.20: *... e Deus propôs que por meio (pelo serviço e intervenção) dele [o Filho] todas as coisas fossem completamente reconciliadas consigo mesmo, seja na terra ou no céu, para através Dele (Jesus), [o Pai] fazer a paz por meio do sangue da Sua cruz.*

Todas as áreas de sua vida que estão fora de ordem podem ser reconciliadas por intermédio de Jesus Cristo e da obra que Ele realizou na cruz. Comece a crer nisso! Não aceite a escravidão, mas determine-se a ser livre!

Conclusão

Você pode ser livre da raiz de rejeição! Vamos observar outros versículos das Escrituras:

Romanos 12.2 diz: *Não esteja conformado com este mundo (esta era)[moldado e adaptado aos seus costumes exteriores e superficiais], mas seja transformado (mudado) pela [inteira] renovação de sua mente [por seus novos ideais e novas atitudes], para que você possa provar [por si mesmo] o que é bom, aceitável e perfeito [aos olhos de Deus para você].*

Tenho estudado Romanos 12.2 e basicamente o que o versículo está dizendo é: se você quer que Jesus o transforme e opere em seu interior para produzir resultados exteriores, então terá de tomar uma decisão de não se conformar com a idéia do que o mundo pensa que você deveria ser. Escolha entre transformação ou conformação.

Romanos 7.6: *Mas agora nós fomos desobrigados da Lei e encerramos todo o envolvimento com ela, tendo morrido para aquilo que uma vez nos restringia e mantinha cativos...*

Romanos 8.4,14,15: *Assim que a justiça e o justo requerimento da lei podem ser plenamente cumpridos em nós que não vivemos e nos movemos nos caminhos da carne, mas sim nos caminhos do Espírito [nossa vida não são governadas pelos padrões ou de acordo com os ditames da carne, mas controladas pelo Espírito Santo]. Pois todos que são guiados pelo Espírito de Deus são filhos de Deus. Pois [o Espírito o qual] vocês agora receberam, não [é] um espírito de escravidão para colocá-los novamente na escravidão do medo, mas receberam o Espírito de adoção [o Espírito que produz filiação] em que [na alegria na qual] nós podemos clamar: Aba (Pai)! Pai!*

A Raiz de Rejeição

Gálatas 5.16,17: *Mas eu digo, caminhem e vivam [habitualmente] no Espírito [Santo] [respondendo e sendo controlados e guiados pelo Espírito]; e então vocês certamente não gratificarão os clamores e desejos da carne (da natureza humana sem Deus). Pois os desejos da carne são opostos aos do Espírito [Santo] e os [desejos do] Espírito são opostos à carne (a natureza humana sem Deus); pois esses são antagônicos entre si [continuamente confrontando-se e conflitando um com o outro], para que vocês não sejam livres, mas sejam impedidos de fazer aquilo que desejam.*

Gálatas 5.1: *Em [nesta] liberdade Cristo nos fez livres [e completamente nos libertou]; então permaneçam firmes, e não sejam enganados, enredados e submetidos novamente a um jugo de escravidão [do qual foram libertos].*

Você está pronto a permanecer firme na liberdade que Deus lhe deu?

O primeiro passo rumo à liberdade da raiz da rejeição é conhecer a Jesus Cristo como seu Salvador pessoal. Em minha jornada rumo à minha própria cura, encontrei todo tipo de métodos "instantâneos" oferecidos pelo mundo ferido de hoje. Contudo, descobri que a única cura duradoura para a raiz de rejeição vem por intermédio de um relacionamento com Jesus Cristo. Ele tomou minha rejeição sobre Si mesmo. Sua morte e ressurreição compraram para você e para mim a libertação da dor e dos padrões de comportamento produzidos por toda uma vida de rejeição.

Se você ainda não fez de Jesus Cristo seu Salvador, quer orar comigo agora?

"Jesus, venho a Ti como pecador. Arrependo-me de todos os meus pecados e peço-Te que me perdoes e me purifiques pelo Teu sangue. Eu agora o torno Senhor de minha vida. Eu escolho perdoar àqueles que me feriram

Conclusão

e rejeitaram. Cura-me da raiz de rejeição. Enche-me com o Espírito Santo porque hoje escolho permitir que Tu faças essa obra interior em mim, para que eu possa produzir os resultados externos e o mundo possa vê-los. Escolho ser transformado pelo Teu poder e pelo Teu amor, e não me conformar com as opiniões e idéias dos homens sobre quem e o que eu deveria ser."

"Jesus, eu oro para que Tu me perdoes por todo comportamento manipulador e controlador com o qual eu possa ter me envolvido. Ajuda-me a parar de manipular e de controlar os outros. Liberta-me do medo do homem. Ajuda-me a ser alguém que procura agradar a Ti, e não aos homens. Ensina-me a viver como um cristão vitorioso. Revela-me Teu amor e ajuda-me a compreender verdadeiramente que sou aceito no Amado. Faço esta oração em fé, esperando resultados que transformem minha vida, no Nome de Jesus. Amém."

Se você fez esta oração, gostaria de conhecê-lo! Por favor, escreva-me:

Ministérios Joyce Meyer
Caixa Postal 4048
Belo Horizonte / MG – Brasil
CEP 31250-970
contato@joycemeyer.com.br

Sobre a Autora

Joyce Meyer é uma das líderes no ensino prático da Bíblia no mundo. Renomada autora de bestsellers pelo *New York Times*, seus livros ajudaram milhões de pessoas a acharem esperança e restauração através de Jesus Cristo.

Através dos *Ministérios Joyce Meyer*, ela ensina sobre centenas de assuntos, é autora de mais de 80 livros e conduz aproximadamente 15 conferências por ano. Até hoje, mais de 12 milhões de seus livros foram distribuídos mundialmente, e em 2007 mais de 3.2 milhões de cópias foram vendidas. Joyce também tem um programa de TV e de radio, *Desfrutando a Vida Diária*®, o qual é transmitido mundialmente para uma audiência potencial de 3 bilhões de pessoas. Acesse seus programas a qualquer hora no site www.joycemeyer.com.br

Tendo sofrido abuso sexual quando criança e a dor de um primeiro casamento emocionalmente abusivo, Joyce descobriu a liberdade de viver vitoriosamente aplicando a Palavra de Deus à sua vida, e deseja ajudar que os outros façam o mesmo. Desde sua batalha com câncer no seio até as lutas da vida diária, ela fala aberta e praticamente sobre sua experiência de modo que outros possam aplicar o que ela aprendeu às suas vidas.

Durante os anos, Deus proveu a Joyce com muitas oportunidades de compartilhar o seu testemunho e a mensagem de mudança de vida do Evangelho. De fato, a revista *Time* a selecionou como uma das mais influentes líderes evangélicas na America. Ela é um incrível testemunho do dinâmico e restaurador trabalho de Jesus Cristo. Ela crê e ensina que, independente do passado da pessoa ou dos erros cometidos no passado, Deus tem um lugar para elas, e pode ajudá-las em seus caminhos para desfrutarem a vida diária.

Joyce tem um merecido PhD em teologia obtido da Universidade Life Christian em Tampa, Florida; um honorário doutorado em divindade da Universidade Oral Roberts University em Tulsa, Oklahoma; e um honorário doutorado em teologia sacra da Universidade Grand Canyon em Phoenix, Arizona. Joyce e seu marido, Dave, são casados há mais de quarenta anos e são pais de quarto filhos adultos. Dave e Joyce Meyer vivem atualmente em St. Louis, Missouri.

Coleção
Campo de Batalha da mente

Vencendo a batalha em sua mente

Campo de Batalha da Mente

Há uma guerra se desenrolando e sua mente é o campo de batalha. Descubra como reconhecer pensamentos prejudiciais e ponha um fim a qualquer influência em sua vida! - (265 páginas - 15 x 23 cm)

Mais de 2 milhões de cópias vendidas

Campo de Batalha da Mente
Guia de Estudos

Um guia prático e dinâmico. Pra você que já leu o Campo de Batalha da Mente, aprenda a desfrutar ainda mais, de uma vida vitoriosa em sua mente, aplicando os fundamentos do Guia de Estudos. - (117 páginas -15,5x23)

Campo de Batalha da Mente
Para Crianças

Recheado de histórias, testes divertidos e perguntas para fazer você pensar, esse livro irá ajudar você a perceber o que está certo e o que está errado, e também para ajudá-lo a observar algumas coisas com as quais você pode estar lutando, como preocupação, raiva, confusão e medo. - (170 páginas - 12x17cm)

Campo de Batalha da Mente
Para Adolescentes

Traz uma conversa franca sobre: pressões dos amigos, expectativas para seu futuro, e a luta pela independência. Com entrevistas com jovens como você, e conselhos diretos, baseados na Bíblia, Joyce dará a munição que você necessita para tornar seu cérebro uma maquina potente, precisa e invencível. - (153 páginas - 12x17cm)

A Revolução do Amor

"Eu adoto a compaixão e abro mão das minhas desculpas. Eu me levanto contra a injustiça e me comprometo a demonstrar em ações simples o amor de Deus. Eu me recuso a não fazer nada. Esta é a minha decisão. EU SOU A REVOLUÇÃO DO AMOR."

Com capítulos escritos pelos convidados Darlene Zschech da Hillsong, Martin Smith do Delirious?, pelos Pastores Paul Scanlon e Tommy Barnett, e por John Maxwell, A REVOLUÇÃO DO AMOR apresenta uma nova maneira de viver que transformará a sua vida e o seu mundo. (262 páginas - 15x23cm)

Visite: www.bellopublicacoes.com

O Vício de Agradar a Todos

Muitas pessoas em nossos dias têm uma necessidade incontrolável de afirmação, e são incapazes de se sentirem bem consigo mesmas sem ela. Esses "viciados em aprovação" passam todo o tempo em uma luta constante contra a baixa estima e a desordem emocional, o que causa enormes problemas no seu relacionamento com as outras pessoas.

Joyce Meyer oferece um caminho para a libertação da necessidade avassaladora pela aceitação do mundo exterior – uma aceitação que não traz realização, ao contrário, conduz à decepção. - (304 páginas - 15x23cm)

Eu e Minha Boca Grande! - Bestseller!

Mais de 600 mil de cópias vendidas

Sua boca está ocupada falando sobre todos os problemas de sua vida? Parece que sua boca tem vontade própria? Coloque sua língua em um curso de imersão para a vitória. Você pode controlar as palavras que fala e fazê-las trabalhar para você!

Eu e Minha Boca Grande, mostrará a você como treinar sua língua para dizer palavras que o colocarão em um lugar superior nesta vida. Joyce enfatiza que falar a Palavra de Deus deve vir acompanhado de viver uma vida em completa obediência à Bíblia para ver o pleno poder de Deus fluindo em sua vida. - (215 páginas - 15x21cm)

Beleza em Vez de Cinzas

Neste livro Joyce compartilha experiências pessoais como o abuso que sofreu do pai, dificuldades financeiras e como Deus transformou as cinzas que haviam em sua vida em beleza. Receba a beleza de Deus para suas cinzas. (266 páginas - 13,5 x 20 cm)

A Formação de um Líder

Este livro traz elementos indispensáveis para a formação de um líder segundo o coração do próprio Deus. Um líder que recebeu do Senhor um sonho que parecia ser humanamente impossível. - (380 páginas - 15 x 21 cm)

A Raiz da Rejeição

Neste livro Joyce Meyer lhe mostrará que Deus tem poder para libertá-lo de todos os efeitos danosos da rejeição. Nosso Pai providenciou um meio para que nós, como seus filhos, sejamos livres da raiz de rejeição. (125 páginas - 13 x 20 cm)

Se Não Fosse pela Graça de Deus

Graça é o poder de Deus disponível para satisfazer todas as nossas necessidades. Através deste livro você irá conhecer mais sobre a graça de Deus e como recebê-la através da fé. (198 páginas - 13,5 x 21 cm)

Visite: www.bellopublicacoes.com

Devocionais

JOYCE MEYER

Começando Bem Seu Dia

Devocionais para cada manhã do ano. Palavras inspiradoras, vivas e de simples aplicações para cada novo dia. Adquira o seu, e começe bem seu dia. - (366 páginas - 11 x 15,5 cm)

Terminando Bem Seu Dia

Ricos devocionais para cada noite do ano. Mensagens que irão trazer forças e refrigério a cada final de dia. Adquira-o já, e passe a terminar bem seu dia. - (366 páginas - 11 x 15,5 cm)

A Decisão Mais Importante Que Você Deve Tomar

Mesmo que nosso corpo morra, o nosso espírito continua a viver na eternidade. Se seu espírito vai para o céu ou para o inferno, irá depender somente das escolhas que você faz. (59 páginas - 12 x 17 cm)

Curando o Coração Ferido

Se você foi ferido no passado ou se sente indigno, pode ser difícil receber o amor incondicional de Deus. Deixe a Palavra de Deus começar a operar em você hoje! (88 páginas - 12,5 x 17,5 cm)

Paz

A paz deve ser o árbitro em nossa vida. Segue a paz e de certo gozarás vida. Jesus deixou-nos a Sua paz, uma paz especial, a paz que existe até no meio da tempestade. (56 páginas - 12 x 17 cm)

Diga a Eles que os Amo

Uma grande porcentagem das dificuldades que as pessoas enfrentam tem origem na falta do conhecimento de que Deus as ama pessoalmente. Creia que você é importante para Deus! - (54 páginas - 12 x 17 cm)

Visite: www.bellopublicacoes.com